Preparazione al

CELI 2

con PROVA DI COMPRENSIONE DELL'ASCOLTO

M.A. Rapacciuolo
A. Moni

B1
Livello
Intermedio

EDILINGUA

www.edilingua.it

© Copyright edizioni Edilingua
Sede legale
Via Alberico II, 4 00193 Roma
Tel. +39 06 96727307
Fax +39 06 94443138
info@edilingua.it
www.edilingua.it

Deposito e Centro di distribuzione
Via Moroianni, 65 12133 Atene
Tel. +30 210 5733900
Fax +30 210 5758903

I edizione: maggio 2018
ISBN 978-88-98433-79-7

Redazione: Daniela Barra, Antonio Bidetti
Impaginazione e progetto grafico: Edilingua

Edilingua sostiene

Grazie all'adozione dei nostri libri, Edilingua adotta a distanza dei bambini che vivono in Asia, in Africa e in Sud America. Perché insieme possiamo fare molto! Ulteriori informazioni sul nostro sito.

Stampato su carta priva di acidi, proveniente da foreste controllate.

Le autrici apprezzerebbero, da parte dei colleghi, eventuali suggerimenti, segnalazioni o commenti sull'opera (da inviare a redazione@edilingua.it)

Premessa

Il volume *Preparazione al Celi 2* si propone come contributo al materiale già esistente sul mercato per la preparazione alla prova d'esame della Certificazione Celi 2 dell'Università per Stranieri di Perugia, per il livello B1.

Il libro è stato disegnato sugli standard della prova della Certificazione Celi 2, nel pieno rispetto della filosofia dell'esame dell'Università di Perugia. Scopo del libro è di aiutare tutti gli studenti che desiderano sostenere la prova del Celi 2 a prepararsi nel modo migliore, sia che seguano un corso in una classe di lingua sia che studino in autoapprendimento.

Struttura del libro

Il libro comprende tre sezioni principali:

Sezione A. Comprensione della Lettura, a sua volta articolata in cinque parti: A.1 Testi con domande a scelta multipla a tre opzioni, A.2 Testi con domande a scelta binaria, A.3 Testi di completamento a scelta multipla (quattro opzioni), A.4 Testi di completamento a scelta multipla (tre opzioni) e A.5 Testi di completamento con i pronomi.

Questa sezione mira a far esercitare lo studente a individuare i contenuti principali di un testo e a comprenderne il significato generale e/o i dettagli specifici; inoltre mira ad aiutare lo studente a riconoscere e utilizzare in modo adeguato le strutture morfosintattiche e il lessico della lingua italiana, relativamente al livello B1.

Sezione B. Produzione di Testi Scritti, articolata in tre parti: B.1 Completamento di un modulo/questionario, B.2 Scrivere o rispondere a un annuncio e B.3 Scrivere una breve lettera. Questa seconda sezione mira ad aiutare lo studente a esercitarsi nella produzione di brevi testi lineari e coesi relativi a esperienze personali che rientrano nel suo campo d'interesse.

Sezione C. Comprensione dell'Ascolto, articolata in tre parti: C.1 Comprensione di un breve messaggio o notizia con domande a scelta multipla a tre opzioni, C.2 Comprensione di un breve messaggio o notizia con domande a scelta multipla a tre opzioni, C.3 Comprensione di due testi con abbinamenti a scelta binaria.

Dopo la terza sezione lo studente ha la possibilità di esercitarsi su una **Prova completa** dell'esame, della quale trova i Fogli delle Riposte in un fascicolo allegato. Una sezione che comprende la soluzione di tutte le prove riportate chiude il volume.

Nel libro viene presentata una grande varietà di testi autentici (e a volte adattati per il livello Celi 2) di interesse generale, tratti da riviste, quotidiani nazionali e locali, pubblicità, volantini informativi. Nella selezione dei testi si è cercato di scegliere vari testi che rappresentano la realtà italiana.

Un consiglio

Agli insegnanti si ricorda che le attività presentate nel libro non costituiscono dei test, ma sono solo una preparazione al test stesso, utili agli studenti per la riflessione sulle loro competenze acquisite o meno. Quindi non è sufficiente che lo studente riesca a trovare le scelte giuste. È consigliabile chiedere sempre il perché delle sue scelte, la motivazione, in modo da verificare che ci sia stata una vera comprensione del testo o che le scelte fatte non siano casuali, il che ci dà la possibilità di intervenire in modo adeguato nei punti in cui scopriamo delle mancanze da parte dello studente.

Nella prova di completamento si deve abituare lo studente a leggere prima globalmente il testo e a riflettere sulle parole che compaiono prima e subito dopo lo spazio da completare.

Nella produzione scritta è inoltre consigliabile abituare sempre lo studente a preparare una scaletta di ciò che vuole scrivere, aiutarlo a riflettere e a fissare le idee principali, in modo che questo processo diventi per lui automatico.

Si ringraziano i docenti e gli studenti che si sono gentilmente prestati a testare le attività proposte per i loro suggerimenti.

Le autrici

Preparazione al
CELI 2

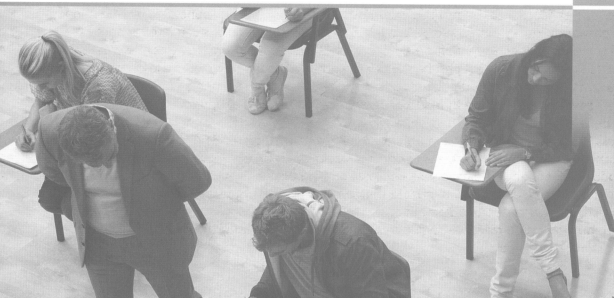

| PARTE A | **Prova di Comprensione della Lettura** |
| PARTE B | **Prova di Produzione di Testi Scritti** |

EDILINGUA

Leggere i seguenti testi e indicare con una X vicino alla lettera A, B o C la risposta corretta.

Testo 1

Che sia al mare o in città, potete affittare la vostra abitazione per periodi più o meno lunghi come casa per le vacanze. Per farlo, potete rivolgervi a un'agenzia immobiliare del posto, fare ricorso al "tam tam" tra conoscenti inviando una email o ancora potete iscrivervi ai siti di annunci o creare una pagina su Facebook e invitare gli amici a cliccare "mi piace".

(Oggi)

Nel testo si danno informazioni su

a quando affittare la propria casa
b come affittare la propria casa
c a chi affittare la propria casa

Testo 2

Ma sono ancora di moda le fiabe da leggere ai bambini mentre loro guardano contenti i disegni? Sembra proprio di sì se guardiamo il primo volume delle *Storie Matte*. Due originalissime storie *Le nuvole e la neve* di Giorgio Caldonazzo illustrate da Chiara Donelli Cornaro.

(Oggi)

Le *Storie Matte* sono libri di favole

a con disegni da colorare
b accompagnate da disegni
c con disegni fatti dai bambini

Testo 3

Partite per mete lontane? Segnalatelo a *Dove siamo nel mondo*, il servizio gratuito (curato dal Ministero degli Affari Esteri) che consente, in caso di emergenza, di ricevere prontamente soccorso dall'Italia. Informazioni e modalità per segnalare il viaggio sul sito *www.dovesiamonelmondo.it.*

(Oggi)

Il servizio *Dove siamo nel mondo* serve per

a avere informazioni sul viaggio
b ricevere aiuto in caso di bisogno
c poter trovare prezzi vantaggiosi

EDILINGUA

Testo 4

Cristiana ha una paura terribile di qualsiasi insetto e chiede consigli. Aiutiamola!

Ecco i miei consigli. Per le vespe se fai finta di niente e magari resti immobile loro se ne vanno! Anche per le api, basta che stai ferma e non ti toccano. Per le mosche: basta che sventoli la mano e loro se ne vanno, e poi sono innocue, non pungono. Per le zanzare invece basta uno spray protettivo a base di citronella e il problema è risolto, e poi ci sono solo d'estate. Comunque ho capito una cosa: meno consideri gli insetti, meno danno fastidio. Prova!

(www.focusjunior.it)

Se non vuoi essere punto da una vespa

a devi cercare di non muoverti
b agita la mano per mandarle via
c basta mettere uno spray protettivo

Testo 5

A Lucca, il 13 settembre, riapre la casa natale di Giacomo Puccini; un museo dedicato al grande compositore, unico al mondo per ricchezza di reperti e collezioni. Le stanze sono state riportate all'aspetto originario e visitandole si ha l'impressione di vedere Puccini seduto al suo mitico pianoforte intento a comporre le arie di *Turandot,* o in soffitta con il suo sigaro toscano fra le dita.

(Donna Moderna)

Nel mese di settembre a Lucca

a verrà rappresentata la *Turandot*
b si potrà visitare la casa di Puccini
c ci sarà una mostra fotografica su Puccini

Testo 6

Cerchiamo donne vere! Tutte le lettrici lo sanno. La nostra rivista ha fatto una scelta audace, rivoluzionaria, nuova per i giornali italiani: realizzare i servizi di moda e di bellezza non con modelle ma con donne di ogni età, origine e taglia. Donne vere! Le cerchiamo ovunque. Partecipa anche tu, ti aspettiamo!

(Donna Moderna)

Il testo si rivolge alle donne che

a sono interessate alla moda
b fanno le modelle di professione
c aspirano a fare servizi di moda

Preparazione al
CELI 2

Testo 7 I signori Simonelli ora che sono in pensione, vogliono partire per una vacanza rilassante.

Vacanza 1
Delle molte isole italiane, il Giglio nell'arcipelago toscano, è fra le più selvagge e suggestive. Sull'isola, in posizione isolata e raggiungibile solo via mare, c'è un piccolo hotel ideale per chi vuole una vacanza di relax e silenzio. Qui il cellulare non prende, intorno ci sono solo pini marittimi e la sera niente vita mondana ma solo due chiacchiere al fresco.

Vacanza 2
La vacanza in bicicletta guadagna sempre più appassionati. Se l'idea vi attira ma non siete pronti ad organizzare il viaggio da soli, ci sono interessanti pacchetti che la nostra associazione vi propone. Ad esempio una settimana lungo il Monte Grappa e la campagna circostante con sei notti in mezza pensione e accompagnamento costano 500 euro.

Vacanza 3
Si parte dagli Appennini e si arriva al mare. È la proposta di trekking equestre della nostra agenzia. Dalla Val Tidone si arriva a Sestri Levante lungo le antiche vie del sale, in un percorso che dura sette giorni. E se non possedete un cavallo, potete noleggiarlo e pernottare in piccoli alberghetti lungo il percorso.

(Oggi)

Quale vacanza è la più adatta per loro?

a Vacanza 1
b Vacanza 2
c Vacanza 3

Testo 8 Chi deve provvedere al pagamento del terzo trimestre dei contributi per badanti, si ricordi che l'ultimo giorno utile per i versamenti è lunedì 10 ottobre. Maggiori informazioni sul sito *www.inps.it.*

(Donna Moderna)

Il testo si rivolge a chi

a deve ancora pagare i contributi alla badante
b vuole evitare di pagare i contributi alla badante
c vuole informarsi sul costo dei contributi alla badante

EDILINGUA

Testo 9 Non si può sapere da quando Babbo Natale porta i regali ai bambini... Forse da sempre! L'usanza di scambiarsi doni tra adulti, invece, ha origini molto antiche. Risale alle "strenne" dei Romani, dei rami consacrati che la gente si scambiava come augurio di prosperità e di abbondanza il primo gennaio. Secondo la leggenda fu il Re dei Sabini, Tito Tazio, a dare il via all'usanza: chiese in dono ai suoi sudditi, ogni capodanno, un ramoscello d'alloro o di ulivo colto nel bosco sacro della Dea Strenia (da cui "strenna").

(www.focusjunior.it)

Il testo dà informazioni

a sui boschi di Roma
b sugli imperatori romani
c sulle tradizioni italiane

Testo 10 Sono capogruppo di un'azienda leader mondiale della cosmetica. Cerco collaboratrici per la vendita diretta dei prodotti di bellezza. Potrete svolgere un'attività autonoma e indipendente con possibilità di raggiungere grandi traguardi. Non si anticipano soldi e non è un porta a porta; bastano pochi cataloghi da mostrare a familiari, parenti, amiche/ci, colleghe/i di lavoro e il gioco è fatto... Perché non provare? Se siete interessate contattatemi via email.
Roberta.

(www.lavoro.trovit.it)

Chi è interessato a questo lavoro deve

a conoscere molte donne
b avere esperienza nelle vendite
c semplicemente scrivere a Roberta

Testo 11 Per imparare le lingue vivendo per un periodo all'estero, ci si può rivolgere a *Interstudioviaggi*, che organizza vacanze studio in Europa, Malta e USA per ragazzi di varie fasce di età anche con programmi di studio-lavoro. C'è anche la possibilità di passare un intero anno scolastico all'estero, con il riconoscimento del Ministero dell'Istruzione.

(Confidenze)

Questo annuncio si rivolge ai ragazzi che

a vogliono cercare lavoro all'estero
b devono dare un esame di lingua straniera
c desiderano imparare bene una lingua straniera

Testo 12 Si avvicina il giorno dell'imbarco per la minicrociera nel Mediterraneo. Si parte il primo ottobre per tre indimenticabili giorni di navigazione e un giorno di visita a Barcellona. Approfitta subito di questa offerta! Partecipa alla crociera acquistandola in un'agenzia di viaggio. Devi solo presentare in agenzia questo numero del nostro giornale oppure prenotare il tuo viaggio sul nostro sito. Corri, hai tempo fino al 29 settembre!

(Donna Moderna)

Per acquistare la crociera bisogna

a iscriversi al sito della rivista
b fare il biglietto entro il primo ottobre
c andare in agenzia con una copia della rivista

Testo 13 ### *Richiedi la tua Carta*
Carta per te è la tua porta d'accesso a tutti i vantaggi del programma fedeltà *Per te* del supermercato Pam. È gratuita, facile da sottoscrivere presso uno dei Punti Pam e automaticamente attiva. Potrai così usufruire degli sconti e delle promozioni riservate ai possessori della carta presso tutti i punti vedita Pam e Panorama. In più riceverai extra sconti esclusivi sui prodotti che più ami.

(www.cartaperte.e-pam.it)

Per ricevere la *Carta per te* basta

a iscriversi e dopo attivare la carta
b pagare l'iscrizione in rete nel sito Pam
c fare l'iscrizione in un supermercato Pam

Testo 14 Centro studi ad Aversa (CE) cerca per almeno 3 mesi 2 ragazze con disponibilità immediata per pubblicità telefonica. L'orario di lavoro è dalle 16:00 alle 20:00, dal lunedì al venerdì e il sabato dalle 10:00 alle 14:00. Il compenso è di 250 euro mensili più provvigioni. Inviare foto e curriculum al seguente indirizzo di posta elettronica: *idea.formazione@virgilio.it*

(www.kijiji.it)

In questo annuncio si cercano ragazze disposte a

a farsi fotografare
b lavorare anche le mattine
c cominciare a lavorare subito

Testo 15 Scegliere il taglio di capelli per una donna è davvero importante! Ma corti o lunghi che siano è importante scegliere il taglio dei capelli in base alla forma del proprio viso. I capelli lunghi o corti possono cambiare in un attimo il proprio stile così come il taglio poco definito e sfilato sulle punte mette in risalto i propri lineamenti!

(*www.dieta-salute-bellezza.blogspot.com*)

Questo testo dà consigli su come

a scegliere un taglio di capelli
b crearsi uno stile personale
c essere sempre alla moda

Testo 16 Per la prima volta i saldi estivi sono iniziati in tutta Italia lo stesso giorno, sabato 2 luglio, e dureranno 60 giorni. Ricordate che sul cartellino devono essere indicati il prezzo reale, la percentuale di sconto e il prezzo scontato. Inoltre la merce in saldo si può cambiare se difettosa (conservate lo scontrino!) e i capi devono essere realmente di fine stagione e non fondi di magazzino.

(*Oggi*)

Il testo si propone di

a dare consigli a chi vuole fare spese durante gli sconti
b consigliare dove fare acquisti nel periodo dei saldi
c dare alcuni consigli a chi ha comprato merce difettosa

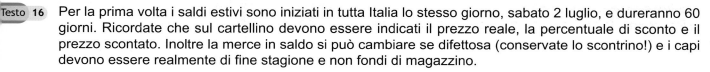

Testo 17 Il pane è un alimento che non manca mai a tavola e che accompagna in genere qualunque pasto. Ne esistono di vari tipi e forme, e anche il gusto cambia. È bello poter fare il pane con le proprie mani, ma forse può risultare un po' complicato. Ecco allora che ci viene in aiuto la macchina per il pane, un accessorio per cucina dall'uso semplice.

(*www.guidaprodotti.com*)

Secondo il testo

a bisogna imparare a fare il pane con le mani
b si può fare il pane in modo molto semplice
c oggi è indispensabile saper fare il pane da soli

Preparazione al
CELI 2

Testo 18 Mia madre ultimamente è sempre ansiosa, stressata e per questo ha la pelle molto sciupata, piena di bolle e macchie. Penso perciò di regalarle un percorso in un centro termale ma cerco quello più economico.

In Versilia

Il moor, un fango ricco di minerali, è il protagonista delle cure per la pelle alle terme di Versilia. A partire da 1.558 euro si possono avere a disposizione idromassaggi e massaggi anti-stress con pensione completa.

A Ischia

Un "menu" ricco di acque tutte diverse, da quelle leggerissime della sorgente di Nitrodi, per una pelle velluta, a quelle calde sulfuree dei parchi termali, per asciugare l'acne. Mezza pensione per sette giorni a 598 euro.

A Comano

Il pacchetto *Stare bene alle Terme di Comano* prevede, come ciclo base di dermatiti ed eczemi, 20 bagni termali a partire da 151 euro. Il soggiorno costa 785 euro e include pensione completa e ingresso al centro benessere.

(Confidenze)

Qual è il percorso che può regalare alla madre?

a In Versilia
b A Ischia
c A Comano

Testo 19 Quest'estate sono stata in vacanza in Grecia con alcuni amici. Avevamo prenotato un albergo a quattro stelle ma, quando siamo arrivati a Mykonos, il referente del tour operator ci ha detto che l'hotel era pieno. Ci hanno mandati in un altro albergo, lontano dalla spiaggia e per di più molto vecchio. Quando sono tornata in Italia ho mandato un reclamo e il tour operator mi ha inviato un buono sconto per un viaggio futuro. La mia settimana di ferie andata in fumo vale così poco?
Sara, Torino

(Donna Moderna)

In questa lettera la lettrice esprime la sua insoddisfazione perché

a ha passato una vacanza molto brutta
b si aspettava un altro tipo di rimborso
c desiderava un buono sconto più alto

EDILINGUA

Testo **20**

Auchan (Città Mercato)

SS 145 n. 3 - località Pontenuovo - 80045 Pompei

L'ipermercato più vicino alla città di Castellammare di Stabia

è aperto

lunedì: dalle 14.00 alle 21.30

dal martedì al venerdì: dalle 9.00 alle 21.00

sabato: dalle 9.00 alle 21.30

domenica e festivi: orario da verificare telefonicamente

N.B.: nel periodo estivo (giugno - settembre) i clienti potranno

usufruire di una ulteriore mezz'ora di apertura

Per contatti: tel. 081 8627111 - email: *segdir.pompei@auchan.it*

(*www.liberoricercatore.it*)

Il testo informa i clienti che

a nei mesi estivi l'ipermercato apre prima
b nei giorni festivi l'ipermercato è chiuso
c il sabato pomeriggio l'ipermercato è aperto

Testo **21** *Quotidiano Giovani*, quotidiano online dedicato ai giovani, ricerca inviati, sparsi in tutta Italia, per colla-borazione a titolo gratuito. I candidati avranno la possibilità di partecipare a numerosi eventi prestigiosi. Per partecipare, inviare il proprio CV all'indirizzo di posta elettronica *selezioni@quotidianogiovani.it.* Il presente annuncio è rivolto a entrambi i sessi e a persone di tutte le età e tutte le nazionalità.

(*www.lavoro.trovit.it*)

Il presente annuncio si rivolge a chi

a desidera fare questa esperienza
b è pratico di nuove tecnologie
c è in cerca di un lavoro

Testo 22   Il signore e la signora Sandrini hanno deciso di andare in vacanza a Cesenatico con i loro due figli di 5 e 6 anni per una decina di giorni e cercano offerte per la soluzione più economica.

Hotel 1

20 mt. dal mare, climatizzato con parcheggio. Nel ristorante potrete gustare i sapori della buona cucina italiana e romagnola. Ricchi buffet di colazione, antipasti, verdure. Prezzi da 60 € a 80 €.
Gratis: bambini, discesa in spiaggia e bevande ai pasti.

Hotel 2

Piscina grande e piscina per bambini. Vicinissimo al mare, tranquillo e rinnovato con parcheggio. Possibilità di utilizzo delle biciclette. Menù a scelta, buffet di colazione e verdure. Prezzi da 50 € a 75 € compreso ombrellone, discesa in spiaggia e bibite ai pasti. Sconti speciali per bambini.

Hotel 3

30 mt. dal mare, tranquillo con modernissimi comfort. Camere climatizzate e parcheggio. Conduzione familiare, buona cucina, menù a scelta, tanto pesce, buffet. Prezzi da 40 € a 59 € comprese le bevande ai pasti. Bambini: 50% di sconto speciale per la discesa in spiaggia (da giugno a settembre). Bimbi fino a 4 anni gratis.

(DIPIÙ)

L'offerta più conveniente per la famiglia Sandrini è

a   Hotel 1
b   Hotel 2
c   Hotel 3

Testo 23   Cara Antonella,
sono mamma di tre figli e devo dire che io non farei mai per loro quello che ho visto fare ad altre mamme: affannarsi nell'aiutare i figli a imbrogliare per andare bene agli esami, insegnare loro a copiare per avere voti più alti. Ho visto addirittura donne impegnate a scrivere tesine al posto dei loro ragazzi per farli sembrare migliori di quello che sono. Ora mi chiedo: ma se sono i genitori a insegnare questo, che figli avremo? Una mamma mi ha detto: "*Impara da noi, il mondo è questo*". I miei ragazzi di 22, 20 e 18 anni hanno sempre avuto i voti che si meritavano, belli o brutti. Ho sempre insegnato loro fin da piccoli a essere leali, sinceri e onesti.
Giovanna

(Donna Moderna)

La lettrice scrive questa lettera perché

a   desidera dare dei consigli su come allevare i figli
b   vuole criticare il comportamento di molte mamme
c   si chiede se ha allevato i suoi figli nel modo giusto

Testo 24

UFFICIO DEMOGRAFICO

Lunedì, martedì e venerdì 10:30 - 12:30   Mercoledì 8:30 - 12:30   Giovedì 16:00 - 18:45

• Le dichiarazioni di stato civile (atti di nascita e di morte) possono essere rese anche fuori dall'orario sopraindicato.

• Per presentare domanda di residenza è consigliabile fissare un appuntamento.

(www.comune.monteviale.vi.it)

Per dichiarare la nascita di un bambino all'ufficio demografico

a è necessario presentarsi la mattina
b è sufficiente fissare un appuntamento
c ci si può presentare anche oltre l'orario indicato

Testo 25

Le vacanze sono ormai finite e un italiano su dieci soffre da stress da rientro. Ansia, noia e irritabilità sono sintomi più comuni. Dalla spiaggia ai banchi di scuola, dal relax della montagna all'ufficio: per adulti e bambini non è facile riprendere la vita di tutti i giorni con i suoi obblighi e i suoi carichi di responsabilità. Per ripartire con il piede giusto, ecco i consigli di Anna Maria Ajello, docente di Psicologia dell'educazione all'Università La Sapienza di Roma...

(Oggi)

Secondo il testo, al ritorno dalle vacanze gli italiani

a alcune volte si rivolgono allo psicologo
b fanno fatica a riprendere il ritmo normale
c pensano sempre con nostalgia alla vacanza

Testo 26

Appassionati dello shopping natalizio, questa guida è per voi! I mercatini di Natale, presenti in 50 località in tutta Europa, raccontano la storia e le tradizioni del Natale, prodotti dell'artigianato e delikatessen. All'interno della guida troverete orari e calendario dei mercatini ma anche le informazioni turistiche, le attrazioni culturali e una scelta di hotel e ristoranti, per ottenere il massimo da questo soggiorno. L'unica cosa che manca è un biglietto aereo o la benzina per partire alla volta delle mele caramellate e del vin brulée che vi aspettano.

(www.inmondadori.it)

Questo testo

a fa pubblicità ad un libro
b parla di tradizioni natalizie
c pubblicizza un'agenzia di viaggi

Preparazione al
CELI 2

Testo 27

Egregio Dottore,
ho un boxer maschio, Tobby, di 4 anni, che soffre di una brutta infezione della pelle. Ogni volta il veterinario gli prescrive una lunga terapia a base di antibiotici in pastiglie, ma purtroppo per me è difficilissimo darglele. Perciò i risultati sono piuttosto scarsi. Un'amica mi ha parlato di un nuovo antibiotico, con iniezioni, molto efficace e che ha un'azione prolungata nel tempo. Secondo Lei potrebbe essere adatto al mio cane? Potrebbe dirmi se questo prodotto è già disponibile in Italia?
Francesca da Padova

(*Intimità*)

Francesca scrive al dottore per

a lamentarsi del suo veterinario
b avere un consiglio sulla cura che fa il suo cane
c chiedere informazioni su un nuovo medicinale

Testo 28

Non perdere le ultime iniziative di *Frecciarossa*, l'interessante promozione di Trenitalia dedicata alle donne che pensa alla loro salute (con consulenze gratuite sulla prevenzione con i medici volontari) ma anche ai loro comfort e alla loro bellezza. Fino alla fine del mese si viaggia in due al prezzo di uno purché almeno un viaggiatore sia donna. Si potrà partire il sabato, ad ogni ora, o durante la settimana tra le 11 e le 14.

(*Donna Moderna*)

Questo annuncio invita le donne a

a viaggiare con Trenitalia
b curarsi dai medici di Trenitalia
c occuparsi di più del proprio aspetto

Testo 29

Non c'è Natale senza un racconto: letto, ascoltato o meglio ancora scritto. Da chi? Da te! Gli amici di *10eLol* ci hanno chiesto delle storie sul Natale per fare dei video. Il tuo racconto verrà letto da una voce narrante e pubblicato sul nostro e sul loro sito.
Puoi raccontarci di un fatto vero o inventato accaduto nel periodo natalizio; puoi provare ad immaginare una storia che ha come protagonisti i simboli e i personaggi del Natale. Oppure puoi riscrivere a modo tuo una storia o una leggenda natalizia.
Invia il tuo racconto al seguente indirizzo di redazione: *redazioneweb@focusjunior.it*

(*Focus junior*)

Questo annuncio invita i giovani a

a preparare dei video con delle storie sul Natale
b scrivere dei racconti che parlano del Natale
c leggere dei racconti o leggende sul Natale

EDILINGUA

esto 30 Scambio/vendo film di ogni genere, horror/thriller/poliziesco/comico, soprattutto film rari e introvabili, vecchie pellicole degli anni 60 - 70 e tutto ciò che di folle e bizzarro il cinema italiano abbia prodotto in quegli anni. Mandatemi le vostre liste all'indirizzo email *fireincairo@tin.it*

(*www.vivastreet.it*)

L'annuncio si rivolge a persone che

a amano il cinema
b lavorano nel cinema
c lavorano in video club

esto 31

Il Sindaco riceve
mercoledì dalle ore 16:30 alle ore 18:30 o previo appuntamento da concordare.

L'assistente sociale riceve solo su appuntamento.
Per evitare attese, anche tutti gli altri uffici ricevono su appuntamento
in orario da concordare telefonicamente al numero 02.7364123

(*www.cittadiniincomune.it*)

Se dobbiamo parlare col Sindaco

a dobbiamo prima telefonargli sul cellulare
b possiamo incontrarlo ogni mercoledì
c dobbiamo fissare un appuntamento di mattina

sto 32 Impara a usare acquarelli, matite e pennelli con L'Accademia *Corso pratico di disegno e pittura*. Fra sette giorni, in edicola, trovi due fascicoli didattici, un Dvd di video-lezioni e un tubetto di colore a 9.90 euro più il prezzo della rivista.

(*www.toysblog.it*)

L'annuncio invita a

a iscriversi a un corso di pittura
b comprare la rivista sulla pittura
c partecipare a un concorso di pittura

Testo 33

TARIFFE ORDINARIE
6.50 € biglietto navigazione 60 minuti

Consente di viaggiare su qualsiasi linea (escluse le linee Alilaguna, 19, 16, 21 e Casinò) per 60 minuti dalla convalida nella stessa direzione. Nel prezzo è compreso il trasporto di un bagaglio la cui somma delle tre dimensioni non deve superare i 150 cm. Non consente il viaggio di ritorno. Si acquista presso le biglietterie Hellovenezia e i rivenditori autorizzati.

(*www.actv.it*)

Con il biglietto da 6.50 € si può

a fare un solo viaggio di andata
b viaggiare per 60 minuti in tutte le direzioni
c viaggiare con una valigia lunga 150 cm

Testo 34

Corso di formazione per conseguire il diploma di Maestri Professionisti di Danze Caraibiche. È diviso in 3 livelli di preparazione: bronzo, argento e oro. Sono corsi a numero chiuso (numero di partecipanti: 8 per livello). Per partecipare a uno dei corsi è necessario fare l'esame di ammissione fissato per il 23 settembre alle ore 09.00 nella Sala Fracci, Via Palestro 8. Alla fine di ogni corso, per ottenere il diploma bisogna superare un esame teorico e pratico. Per ulteriori informazioni e per iscriversi all'esame di selezione, visitate il nostro sito *www.insegnantidiballo.com* e compilate il modulo.

(*www.insegnantidiballo.it*)

Per partecipare al corso di formazione è necessario

a fare prima un esame di ammissione
b essere insegnanti professionisti
c sostenere un esame teorico e pratico

esto 35 Se avete acquistato un iPhone e volete usare il software iTunes ecco cosa fare: ricordate che dopo aver scaricato ed installato il software, dovete creare un vostro account su iTunes. L'account serve per poter usare tutte le applicazioni necessarie ma anche per ascoltare e acquistare musica, acquistare o noleggiare film o per effettuare qualsiasi altra operazione su iTunes.

(*www.iphoneitalia.com*)

Per poter usare il software iTunes è necessario

a fare solo l'iscrizione
b scaricare prima il software
c entrare subito nel proprio account

sto 36 "*Il mio segreto? Yoga e cibo sano*". Tessa Gelisio lo rivela alla rivista *Tv Sorrisi e Canzoni* e aggiunge: "Ho scoperto questa disciplina quando sono arrivata a Milano. Nata e vissuta al mare, facevo fatica ad ambientarmi. Mi ha aiutato a sentirmi bene e ad innalzare le difese immunitarie. E adesso la pratico tutti i giorni, ovunque io mi trovi".

(*www.sorrisi.com*)

Lo Yoga ha aiutato Tessa Gelisio a

a entrare a lavorare alla tv
b vivere in una città di mare
c stare bene e in salute

sto 37 Il Test Bocconi è un test attitudinale, ha una durata di circa 90 minuti ed è composto da 100 quesiti a scelta multipla, focalizzati su diverse aree di valutazione (ad esempio ragionamento logico, matematico, comprensione di brani). I risultati del test sono calcolati secondo le seguenti regole:
- ad ogni risposta esatta viene attribuito un punto;
- mancata risposta ai singoli problemi o quesiti non comporta penalizzazione;
- ogni risposta errata determina la penalizzazione di un terzo di punto.
Il candidato indica nella domanda di ammissione online la lingua nella quale desidera svolgere il test, scegliendo fra italiano e inglese.

(*www.unibocconi.it*)

Nel test a scelta multipla lo studente

a perde 3 punti per ogni risposta sbagliata
b prende un punto per ogni risposta corretta
c è penalizzato per ogni risposta non data

Prova di Comprensione della Lettura

Testo 38 Buongiorno a tutte/i voi! Finalmente ci siamo, o almeno, manca poco. Ovviamente siete tutte/i invitati all'inaugurazione del nostro terzo negozio *Orodorienthe*. Vi aspettiamo il 1°Ottobre alle ore 16.00 in via G. Marconi, 27 a Cadoneghe (Pd).

(*www.orodorienthe.blogspot.it*)

Il testo annuncia

a il trasferimento del negozio
b l'apertura di un nuovo negozio
c l'inizio del periodo degli sconti

Testo 39 Leggete l'articolo e scoprirete tutti i nuovi rimedi alternativi contro il mal di schiena. I nostri esperti vi aiuteranno ad affrontare e risolvere un problema che affligge 2 milioni di italiani. Inoltre troverete esercizi pratici illustrati per riguadagnare la flessibilità perduta, seguendo i metodi Richardson, Williams e della Back School, consigliati dai fisioterapisti.

(*www.sorrisi.com*)

L'articolo si rivolge a chi cerca

a medicinali contro il mal di schiena
b centri di fisioterapia specializzati
c consigli per curare il mal di schiena

Testo 40 Se ti trovi in difficoltà economica, a cosa rinunci per risparmiare? Rispondi nel forum: raccoglieremo tutti gli interventi e realizzeremo un servizio sulla nostra rivista.

Di sicuro non rinuncio alle vacanze (almeno finora!). Faccio una settimana all'anno di vacanze o poco più, non è molto ma la devo fare! L'iPhone è praticamente il mio unico "lusso" tecnologico. Regali agli amici? Non ne faccio più. Per svaghi, ristoranti e anche bellezza cerco di risparmiare usando quegli ormai famosi buoni per l'acquisto.
Loretta, Milano

(*Donna Moderna*)

Per risparmiare Loretta rinuncia

a ai regali
b alle vacanze
c al telefonino

esto 41

Autunno, una stagione ideale per viaggiare in tutta convenienza

Se pensate a un viaggio in crociera, vi vengono subito in mente estate, caldo tropicale e scenari esotici?
Errore, oggi i viaggi per mare hanno molto più da offrirvi. Prima di tutto, bisogna sfatare un mito: se l'estate
di sicuro si presta alla perfezione a questo tipo di viaggio, è l'autunno la stagione migliore per partire.
Basta scegliere la rotta giusta per trovare un clima ideale. Molte compagnie offrono per questo periodo
prezzi agevolati e facilitazioni su molti altri servizi.

(www.*desiderimagazine.it*)

Secondo questo annuncio le crociere

a migliori sono ai tropici
b vanno fatte durante l'estate
c in autunno sono meno costose

PARTI PER UNA CROCIERA D'AUTUNNO
IN UN MEDITERRANEO
PIENO DI SOLE E DI COLORI.

sto 42

MUOVERSI A VENEZIA

I biglietti di pullman e vaporetti Actv sono ac-
quistabili presso le biglietterie e le agenzie Hellovenezia presenti nel Centro Storico e in terraferma
e presso la rete dei rivenditori autorizzati che espon-
gono l'adesivo Actv, oppure si possono utilizzare le
biglietterie automatiche presenti nei punti di approdo,
presso l'Aeroporto Marco Polo e l'Ospedale dell'Angelo. Per gli acquisti online a tariffe agevolate, visita
www.veniceconnected.com.

(*www.actv.it*)

L'annuncio si rivolge a chi

a cerca agenzie turistiche a Venezia
b usa i mezzi di trasporto a Venezia
c vuole prenotare un soggiorno a Venezia

Prova di Comprensione della Lettura

Testo 43 Sei all'edicola e vuoi comprare una rivista o un giornale con una rivista in regalo.

1. A partire da domani, giovedì 8 marzo, in edicola con la rivista *Donna Moderna* troverete i romanzi di Jane Austen. Così Mondadori presenta la sua collana: dall'8 Marzo, Jane Austen con *Donna Moderna*: 6 romanzi di un'indimenticabile autrice in un'elegante collana.

2. È in edicola da oggi e in omaggio ogni settimana con *Tv Sorrisi e Canzoni,* il nuovo numero di *SALUTE!,* un settimanale di benessere, prevenzione e bellezza. E poi, come sempre, su *SALUTE!* trovate news, servizi, inchieste e consigli pratici per il vostro benessere.

3. *Il Sole 24 ORE* presenta il supereroe più oscuro della storia del fumetto: di giorno industriale multimilionario, di notte terrore dei criminali. Una raccolta imperdibile in 20 volumi, per vivere le avventure dell'eroe mascherato. Dal 26 febbraio tutti i venerdì in edicola.

(www.sorrisi.com)

Quale scegli fra queste tre proposte?

a proposta 1
b proposta 2
c proposta 3

Testo 44 L'amministrazione comunale di Ladispoli invita i cittadini a partecipare all'iniziativa *Un giorno senza la mia macchina*, in programma domenica 7 ottobre in piazza Marescotti. L'evento, inserito nell'ambito della Settimana europea della mobilità a cui il comune ha aderito, vuole essere un messaggio alla popolazione affinché per un giorno lasci a casa le auto e riscopra la città con passeggiate a piedi e in bicicletta.

(www.baraondanews.it)

Il 7 ottobre la città di Ladispoli organizza

a una festa in piazza
b un'esposizione di auto
c una giornata ecologica

EDILINGUA

Testo 45

Preoccupazioni di una moglie

Scusate la domanda, che può sembrare sciocca, ma mio marito da quando ha assaggiato le olive taggiasche (tipiche della Riviera Ligure) se ne è innamorato e ora quando le compriamo (in vasetti in salamoia), se ne fa fuori anche 20 al giorno. A parte le calorie, contengono minerali o simili che possono fare male se presi in grande quantità? Grazie a tutte.
Lidia

(*www.community.donnamoderna.com/blog*)

Lidia scrive a questo blog perché il marito

a mangia troppe olive
b sta ingrassando troppo
c ha problemi di salute

Testo 46

Cosa devo aspettarmi?

Le *lezioni d'italiano* sono individuali o per due persone al massimo e lo studio riguarderà non solo la lingua e la grammatica ma anche l'arte, le tradizioni locali, la cucina, la letteratura e la storia. I programmi di studio saranno strutturati sulle esigenze individuali e comprenderanno visite guidate, lettura di libri e riviste, l'ascolto di Cd e la visione di Dvd in italiano. Inoltre, con le lezioni presso la famiglia dell'insegnante parlerai ogni giorno in italiano. Vivere con l'insegnante offre un'esperienza non solo per la lingua ma anche per la cultura, le abitudini e gli stili di vita.

(*www.porta-doriente.com*)

Questo corso di italiano è indicato per chi vuole

a approfondire la cultura italiana
b portare con sé anche la propria famiglia
c imparare l'italiano attraverso un'immersione totale

Testo 47

Sara ha trovato il suo cagnolino, Dylan, quando aveva 4 mesi ed era stato lasciato in un canile. Fin dall'inizio, però, ha notato diversi problemi: aveva difficoltà a mangiare, perdeva peso, era piuttosto asociale, diffidente e non si faceva toccare da nessuno eccetto Sara. Preoccupata per la salute del suo Dylan, decide di portarlo dalla veterinaria di fiducia per scoprire cos'ha e ha trovato rimedio grazie ad una cura di prodotti naturali con i fiori di Bach.

(*www.tuttozampe.com*)

Il cane

a stava per morire
b era molto aggressivo
c è guarito con cure naturali

Luca lavora a Milano e cerca un appartamento arredato.

1. Affittasi delizioso bilocale termo autonomo completamente ammobiliato e dotato di tutti i comfort: wi-fi, lavastoviglie, lavatrice, portineria, ascensore, balcone. Appena rinnovato, si trova in una zona pedonale molto tranquilla e ben frequentata, ottimamente servita da mezzi pubblici, metro rossa, tram 12 e autobus 67.

2. Disponibile da gennaio una camera da dividere con altri due studenti in Via Cagnola 10, a 100 m dall'Arco della Pace da Parco Sempione, in un appartamento ammobiliato di 3 camere più cucina/tinello, 1 bagno, corridoio, ripostiglio, 4° piano di 4 con ascensore a 510 euro mese.

3. Affitto appartamento per un minimo di 2 giorni fino a un massimo di 6 giorni alla settimana, completamente arredato. 100 euro al giorno, compresi uso doccia e asciugamani puliti. Cauzione di 500 euro che viene restituita solo se non ci sono danni all'interno dell'appartamento. No uso cucina. Contattare il seguente numero: 349. 6113790

(*www.annunci.it*)

Quale di questi annunci gli consiglieresti?

a annuncio 1
b annuncio 2
c annuncio 3

Babbo Natale per un giorno

Il Natale si avvicina e anche quest'anno torna in Sicilia l'ormai tradizionale appuntamento con *Babbo Natale per un giorno*, giunto all'ottava edizione. L'evento di piazza in tutta Italia, promosso dalla Fondazione *Aiutare i bambini*, ha l'obiettivo di raccogliere fondi per operare e salvare centinaia di bambini affetti da gravi patologie cardiache nati nei Paesi poveri.

(*www.bambiniapalermo.it*)

L'associazione *Aiutare i bambini* raccoglie fondi per

a curare bambini malati di cuore
b aiutare la scuola in Paesi poveri
c creare ospedali in Paesi poveri

 50 Scopri perché è vantaggioso registrarsi al sito *vodafone.it.* Queste sono solo alcune delle cose che puoi fare online!

 Dettaglio chiamate
Controlla gratuitamente il dettaglio delle tue chiamate con i numeri visibili per intero.

 SMS Gratis
Invia 10 SMS gratis al giorno a tutti i tuoi amici Vodafone con il widget *vodafone.it*

 Servizi e Promozioni
Attiva le promozioni e i servizi Vodafone dal 190 *Fai da te* in pochi semplici passaggi.

 Conto Telefonico
Visualizza a gestisci il tuo conto telefonico dall'Area personale 190 *Fai da te.*

Noi sei ancora registrato? Cosa aspetti!

(www.assistenza.vodafone.it)

Chi si iscrive a *Vodafone*

a può pagare il conto on line
b ha 10 sms al giorno gratuiti
c ha 190 servizi e promozioni

 51 # Corsi Singoli

L'iscrizione ai corsi singoli è un'interessante opportunità per integrare il proprio curriculum universitario e/o professionale. L'Università Ca' Foscari offre la possibilità di iscriversi a corsi singoli impartiti nei vari dipartimenti e di sostenere il relativo esame con rilascio di una specifica attestazione.
Per l'iscrizione ai corsi singoli dell'Università Ca' Foscari:
- è sufficiente che tu possieda un diploma di scuola secondaria di secondo grado;
- puoi essere anche contemporaneamente iscritto ad un corso di studio che rilascia un titolo accademico;
- non potrai modificare la tua scelta dopo esserti iscritto ad un corso singolo;
- potrai invece iscriverti fino ad un massimo di 60 crediti.

(www.unive.it)

Per iscriversi ad un corso singolo alla Ca' Foscari bisogna

a essere iscritto a un corso di laurea
b avere già finito gli studi universitari
c avere finito la scuola secondaria

Testo 52

Cosa fanno i volontari ABIO? Come si diventa volontario? Perché è così importante la loro presenza in ospedale nei reparti di pediatria?

Ti invitiamo a scoprirlo il 29 settembre

Potrai incontrare i volontari ABIO in più di 100 piazze in tutta Italia nelle città in cui è attiva un'Associazione ABIO. Sarà una giornata dedicata ai bambini, al volontariato, alla solidarietà. Con un'offerta minima di 7€ riceverai un cestino di pere e aiuterai così l'Associazione ABIO della tua città ad organizzare i corsi di formazione, necessari per introdurre nuovi e preparati volontari al servizio in pediatria.

(*www.abio.org*)

Ottava giornata nazionale **ABIO**
Appuntamento con i 5.000 volontari ABIO in 100 piazze

Con 7€ puoi

a comprare delle pere
b sostenere corsi per volontari
c aiutare i bambini e la scuola

Testo 53

Non sei ancora molto esperto di pc e non sai come creare un blog? Non ti preoccupare. In Internet ci sono tantissime possibilità per aprire un blog, alcune davvero semplicissime da usare che non richiedono alcuna conoscenza tecnica da parte dell'utente. Devi solo iscriverti e iniziare a postare! Allora, che ne dici se ne vediamo qualcuna insieme? Sento che ho davanti a me una futura blog-star! Iscriviti subito al nostro sito!

(*www.google.it*)

Secondo l'annuncio chi vuole aprire un blog

a può trovare aiuto in rete
b deve essere esperto di pc
c deve avere conoscenze tecniche

PARTE A — Prova di Comprensione della Lettura

Risposte

A.1

1	A	B	C
2	A	B	C
3	A	B	C
4	A	B	C
5	A	B	C
6	A	B	C
7	A	B	C

A.2

8	SI	NO
9	SI	NO
10	SI	NO
11	SI	NO
12	SI	NO
13	SI	NO
14	SI	NO
15	SI	NO
16	SI	NO
17	SI	NO

A.3

18	A	B	C	D
19	A	B	C	D
20	A	B	C	D
21	A	B	C	D
22	A	B	C	D

A.4

23	A	B	C
24	A	B	C
25	A	B	C
26	A	B	C
27	A	B	C
28	A	B	C
29	A	B	C
30	A	B	C
31	A	B	C
32	A	B	C

A.5

	Non scrivere qui	
33		
34		
35		
36		
37		

Foglio delle Risposte della Prova Completa, pagine 150-156

Preparazione al
CELI 2

Edizioni Edilingua

1° Fascicolo

Cognome

Nome

Firma del candidato (leggibile)

PARTE B	Prova di Produzione di Testi Scritti

Risposte

B.1
1
2
3
4
5
6
7
8
9

Non scrivere sotto questa linea

B.1

| 1 | 2 | 3 | 4 | 5 |

Girare il foglio →

CELI 2

Edizioni Edilingua

PARTE B	Prova di Produzione di Testi Scritti

Risposte

B.2

....

....

....

....

....

....

....

....

....

....

....

....

....

....

....

....

....

....

....

Non scrivere sotto questa linea

B.2

1	2	3	4	5	6	7	8	9	10	11	12	13	14	15

PARTE B	Prova di Produzione di Testi Scritti

Risposte

B.3

Non scrivere sotto questa linea

B.3

1	2	3	4	5	6	7	8	9	10	11	12	13	14	15	16	17	18	19	20

Preparazione al
CELI 2

Edizioni Edilingua

2°
Fascicolo

Cognome

Nome

Firma del candidato (leggibile)

PARTE C   Prova di Comprensione dell'Ascolto

Risposte

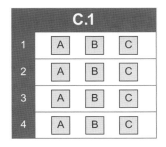

C.1			
1	A	B	C
2	A	B	C
3	A	B	C
4	A	B	C

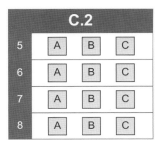

C.2			
5	A	B	C
6	A	B	C
7	A	B	C
8	A	B	C

Foglio delle Risposte della Prova Completa, pagine 160-161

Preparazione al CELI 2

2º Fascicolo

Edizioni Edilingua

PARTE C — Prova di Comprensione dell'Ascolto

Risposte

C.3 1º testo

9	SI	NO
10	SI	NO
11	SI	NO
12	SI	NO
13	SI	NO
14	SI	NO
15	SI	NO
16	SI	NO
17	SI	NO
18	SI	NO
19	SI	NO
20	SI	NO
21	SI	NO
22	SI	NO
23	SI	NO

C.3 2º testo

24	SI	NO
25	SI	NO
26	SI	NO
27	SI	NO
28	SI	NO
29	SI	NO
30	SI	NO
31	SI	NO
32	SI	NO
33	SI	NO

Foglio delle Risposte della Prova Completa, pagine 162-163

CELI 2

Livello **B1**

Fogli delle Risposte

EDILINGUA

Preparazione al
CELI 2

Edizioni Edilingua

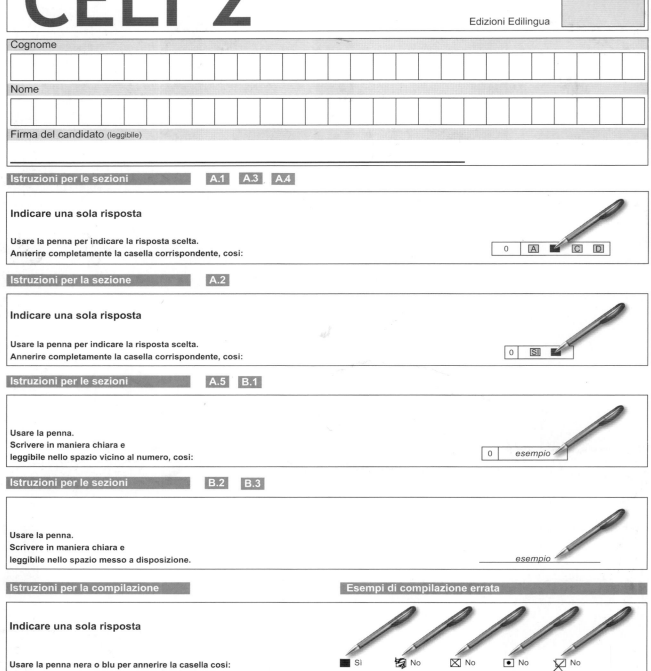

Cognome

Nome

Firma del candidato (leggibile)

Istruzioni per le sezioni A.1 A.3 A.4

Indicare una sola risposta

Usare la penna per indicare la risposta scelta.
Annerire completamente la casella corrispondente, cosi:

0 | A | ■ | C | D

Istruzioni per la sezione A.2

Indicare una sola risposta

Usare la penna per indicare la risposta scelta.
Annerire completamente la casella corrispondente, cosi:

0 | SI | ■

Istruzioni per le sezioni A.5 B.1

Usare la penna.
Scrivere in maniera chiara e
leggibile nello spazio vicino al numero, cosi:

0 | *esempio*

Istruzioni per le sezioni B.2 B.3

Usare la penna.
Scrivere in maniera chiara e
leggibile nello spazio messo a disposizione.

esempio

Istruzioni per la compilazione

Esempi di compilazione errata

Indicare una sola risposta

Usare la penna nera o blu per annerire la casella cosi:

■ Sì   No   ⊠ No   ⊡ No   No

Girare il foglio →

Testo 54

Nelle giornate di sciopero *Trenitalia* assicura servizi minimi di trasporto. Nel trasporto locale sono stati istituiti i servizi essenziali nelle fasce orarie di maggiore frequentazione (dalle ore 06.00 alle ore 09.00 e dalle ore 18.00 alle ore 21.00 dei giorni feriali). Sono garantiti, inoltre, alcuni treni a lunga percorrenza, nei giorni feriali e nei festivi.

(www.trenitalia.com)

In caso di sciopero sono garantiti

a solo i treni locali
b treni in orari specifici
c tutti i treni a lunga percorrenza

Testo 55

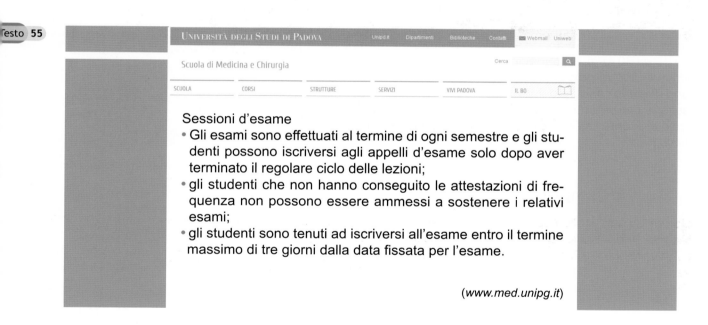

Sessioni d'esame
• Gli esami sono effettuati al termine di ogni semestre e gli studenti possono iscriversi agli appelli d'esame solo dopo aver terminato il regolare ciclo delle lezioni;
• gli studenti che non hanno conseguito le attestazioni di frequenza non possono essere ammessi a sostenere i relativi esami;
• gli studenti sono tenuti ad iscriversi all'esame entro il termine massimo di tre giorni dalla data fissata per l'esame.

(www.med.unipg.it)

Gli studenti di Medicina si possono iscrivere agli esami

a almeno 3 giorni prima dell'esame
b solo 3 giorni dopo la fine dei corsi
c il giorno della fine delle lezioni

Testo 56 Questa è una bacheca di annunci online nella quale puoi pubblicare un annuncio per cercare un/una compagno/a di viaggio, un/un'amico/a con cui dividere avventure. Ti preghiamo di leggere fino in fondo le istruzioni prima di inviare un annuncio. La redazione controlla gli annunci da pubblicare e non approverà annunci che non rispettano le regole stabilite. Eccone alcune: usa un titolo breve e adatto, scrivi poche e chiare parole, evita i saluti e inserisci il tuo indirizzo di posta elettronica. Non mandarci risposte ad altri annunci, non le pubblicheremo, e non fare pubblicità di attività commerciali.

(www.permesola.com)

In questa bacheca online pubblicano

a anche annunci commerciali
b anche le risposte agli annunci
c solo annunci approvati dalla redazione

Testo 57 Zoom sul concorso: è aperto a cantanti di qualsiasi nazionalità, tra i 15 e i 30 anni. La partecipazione è gratuita ed è possibile iscriversi fino al prossimo 30 settembre col modulo su *www. song4life.it* e caricando il brano musicale sul sito. Saranno scelte le canzoni migliori e la finale si terrà il 15 novembre al *Piper* di Roma, all'interno della serata conclusiva del *Tour Music Fest*.

(www.qn.quotidiano.net)

Chi si iscrive a *Song4life*

a canta il 15 novembre al *Piper*
b deve mettere la canzone online
c deve pagare un'iscrizione entro il 30 settembre

Testo 58 L'amore per il mare, l'ambiente e la voglia di fare qualcosa di concreto unisce tutta l'Italia. Dal Nord al Sud della Penisola sono oltre 300 le iniziative organizzate da *Legambiente* in occasione di *Spiagge e Fondali Puliti*. I 300 eventi in programma richiamano a raccolta bambini, ragazzi e adulti di ogni età per una grande opera di pulizia delle spiagge e fondali insieme ai molti volontari del *Cigno Verde* e ai subacquei.

(www.legambiente.it)

Lo scopo di quest'iniziativa è

a informare la gente sul problema dei rifiuti
b ripulire in gruppo spiagge e mari d'Italia
c diventare volontari di *Legambiente*

sto 59 Giovanna è in cerca di negozi della sua città in cui trovare le migliori offerte. Che sito le consigliate fra questi tre?

1. Questo è il primo e più grande sito di coupon gratis d'Italia. Trova le offerte, scarica il coupon, stampalo e presentalo nel negozio. Registrati e troverai anche i codici sconto e i link delle offerte dai negozi online. Per conoscere le nuove offerte e i nuovi coupon ed essere sempre aggiornato sulle novità, clicca *mi piace* sulla nostra pagina Facebook.

2. In questo sito trovate, finalmente raccolte e catalogate tutte le offerte speciali, le promozioni, gli sconti e i sottocosto di negozi grandi e piccoli presenti nella vostra città, nel vostro quartiere o nelle immediate vicinanze e che vendono ogni tipo di prodotto: abbigliamento, arredamento, bricolage, ferramenta, elettronica, elettrodomestici, telefonia, informatica, ma anche prodotti alimentari all'interno di supermercati, ipermercati e hard discount.

3. Stanco di cercare negozi e di non trovare quelli che cerchi? Consulta *Amazon.it*, un sito semplice e immediato che possiede un fornitissimo motore di ricerca che include circa 3 milioni di attività di tutta Italia. Le città a disposizione sono tutte quelle italiane, mentre le categorie sono tantissime. Alcune di queste sono: animali, alimentari, assicurazioni, casa e giardino, finanza, sport, negozi, stazioni di servizio, hotel, ristoranti e... molto altro ancora!

(*www.offertepromozionisconti.com*)

Il sito adatto per Giovanna è il

a sito 1
b sito 2
c sito 3

sto 60 Puoi ordinare tutti i prodotti *Esselunga* (affettati, vino, pesce, carne...) con un click. Per ogni zona puoi anche verificare a che ora possono essere effettuate le consegne da questo supermercato virtuale. Se sei fortunato, vengono fatte le consegne last minute scontate. Puoi pagare alla consegna (con carta di credito o bancomat) oppure on line.

(*www.esselunga.it*)

Con i supermercati *Esselunga* puoi

a pagare a casa o in rete
b ordinare prodotti scontati
c ricevere la spesa a casa a tutte le ore

CELI 2

1 Leggere il testo. Non tutte le informazioni sotto indicate sono presenti nel testo. Indicare *Sì*, se l'informazione è presente, e *No*, se non è presente.

La camera rosa

Quando ho lasciato la mia casa milanese, un paio d'anni fa, per andare a Londra a studiare al *St. Martin College of art and design* – racconta Beatrice – avevo un solo rimpianto: abbandonare la mia stanza tutta rosa. Il rosa è stato il mio colore preferito sin da bambina, mi ha accompagnato per tutta l'adolescenza e ancora oggi continua a piacermi. Quando torno a Milano sono felice di ritrovare il mio adorato rifugio. È il mio mondo, una casa nella casa: c'è tutto tranne la cucina. La mia famiglia e io abitiamo in un classico palazzo milanese dell'Ottocento con i soffitti alti. Così ho raddoppiato lo spazio della stanza e ho realizzato un soppalco con una scala a chiocciola. Sopra c'è il letto: un grosso materasso con lenzuola, coperte e cuscini, indovinate di che colore? Sotto, un grande armadio, librerie e un piccolo tavolo da lavoro. Qui passo ore a creare gioielli, soprattutto anelli. Mi tengo in forma con un sacco da boxe appeso al soppalco e dei grossi guantoni: per farmi passare un'arrabbiatura, mi basta "tirare" qualche colpo! Il buon umore me lo dà un orologio a cucù. Ogni volta che l'uccellino canta il mio gatto miagola; è un concertino proprio divertente!

(Donna Moderna)

		Sì	No
1	Beatrice ha studiato a Londra	☐	☐
2	Beatrice ha sempre amato il colore rosa	☐	☐
3	Anche la madre di Beatrice amava il colore rosa	☐	☐
4	A Milano Beatrice abita ancora nella stessa casa	☐	☐
5	La cucina della casa di Beatrice è rosa	☐	☐
6	Beatrice a Milano vive ancora con la sua famiglia	☐	☐
7	L'armadio della stanza di Beatrice è rosa	☐	☐
8	A Beatrice piace dedicarsi ad attività creative	☐	☐
9	Beatrice la mattina si sveglia di buon umore	☐	☐
10	Beatrice ama gli uccellini	☐	☐

2 Leggere il testo. Non tutte le informazioni sotto indicate sono presenti nel testo. Indicare *Sì*, se l'informazione è presente, e *No*, se non è presente.

Cento Storie

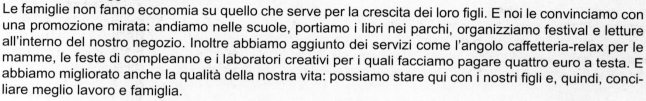

Due giovani romane hanno creato *Centostorie (www.centostorie.it)*, il miglior negozio per ragazzi secondo il Pisa book festival.
Come si vive di libri in piena era digitale?
Specializzandosi! Noi puntiamo ai lettori da 0 a 12 anni che hanno bisogno di pagine vere da sfogliare e con cui giocare. Infatti piacciono moltissimo i libri e gli albi illustrati, quelli di alta qualità che non si trovano nei grandi magazzini.
Come si vende oggi un bene non necessario?
Le famiglie non fanno economia su quello che serve per la crescita dei loro figli. E noi le convinciamo con una promozione mirata: andiamo nelle scuole, portiamo i libri nei parchi, organizziamo festival e letture all'interno del nostro negozio. Inoltre abbiamo aggiunto dei servizi come l'angolo caffetteria-relax per le mamme, le feste di compleanno e i laboratori creativi per i quali facciamo pagare quattro euro a testa. E abbiamo migliorato anche la qualità della nostra vita: possiamo stare qui con i nostri figli e, quindi, conciliare meglio lavoro e famiglia.

(Donna Moderna)

		Sì	No
1	Nel negozio troviamo anche libri per bambini molto piccoli	☐	☐
2	Per aprire il negozio le due donne hanno fatto sacrifici	☐	☐
3	I libri si possono anche ordinare in Internet	☐	☐
4	Nel negozio si vendono anche giocattoli	☐	☐
5	La qualità dei libri con illustrazioni è molto alta	☐	☐
6	Nelle scuole riescono a vendere molti libri	☐	☐
7	Negli incontri che organizzano c'è sempre molta gente	☐	☐
8	Qui le mamme possono anche cucinare per i bambini	☐	☐
9	Le proprietarie portano i loro figli in negozio	☐	☐
10	Le proprietarie sono soddisfatte del loro lavoro	☐	☐

3 Leggere il testo. Non tutte le informazioni sotto indicate sono presenti nel testo. Indicare *Sì*, se l'informazione è presente, e *No*, se non è presente.

Le valigie

Fare una valigia è un momento sempre allegro... ma non mancano le difficoltà. Per alcuni potrebbe essere anche un'attività abbastanza stressante ma ecco alcune regole e consigli per fare le valigie nel modo migliore.

Un consiglio prezioso è viaggiare sempre con due bagagli: una valigia grande e un bagaglio a mano di media grandezza. Il bagaglio a mano contiene di norma un libro, i tappi per le orecchie, l'attrezzatura fotografica, un maglione, una maglietta, biancheria intima per un ricambio, le ciabatte, un costume e un paio di pantaloni. E tutto l'occorrente per la toilette. Deve contenere inoltre tutte le cose che possono essere utili nel caso che la valigia vada smarrita.

Come fare la valigia? Ecco alcuni consigli.

Riponete pantaloni e gonne sul fondo. Sui pantaloni vanno messe giacche e vestiti. Piegate le maglie, i maglioni, le t-shirt e la biancheria arrotolandoli e mettete le calze nel collo delle camicie. Le scarpe (ogni paio in un sacchetto) e gli oggetti più pesanti devono essere sempre sistemati nella parte opposta alla maniglia. Utilizzate le tasche interne per sciarpe, accessori e altri piccoli oggetti. Non mettete bottiglie o spray nella valigia insieme agli abiti, potrebbe essere pericoloso. All'interno della valigia non deve mancare la farmacia del viaggiatore e un kit per cucire con ago e filo può risolvere i problemi più urgenti.

(www.tuttoinfluenza.it)

		Sì	No
1	Seguire dei consigli su come fare le valigie può essere utile	☐	☐
2	Le valigie dure proteggono meglio le cose messe in valigia	☐	☐
3	Le valigie con le ruote sono più facili da trasportare	☐	☐
4	La macchina fotografica la mettiamo nel bagaglio a mano	☐	☐
5	Si consiglia di non ricoprire le valigie con la plastica	☐	☐
6	Le ciabatte nel bagaglio a mano possono essere utili	☐	☐
7	I vestiti si devono mettere sopra i pantaloni	☐	☐
8	Il cappotto si può portare a mano	☐	☐
9	È meglio evitare di portare troppe scarpe in valigia	☐	☐
10	Si consiglia di portare sempre dei medicinali in valigia	☐	☐

EDILINGUA

4 Leggere il testo. Non tutte le informazioni sotto indicate sono presenti nel testo. Indicare *Sì*, se l'informazione è presente, e *No*, se non è presente.

Che buone le bruschette!

Le bruschette sono perfette per iniziare un pranzo o una cena; possono anche diventare un piatto unico completo, da improvvisare anche all'ultimo minuto per ospiti inattesi.

Ingredienti: 24 fette di pane, 1 cucchiaio di olio d'oliva, 60 gr di burro, 300 gr di funghi porcini tagliati in quattro, 2 spicchi d'aglio tritati, 7 gr di basilico fresco tagliato fine, 150 gr di formaggio feta morbida, 50 gr di foglioline di rucola, sale e pepe q.b.

Scaldate l'olio e il burro in una padella a fuoco alto e quando il burro è fuso, cuocete i funghi per 3-4 minuti. Aggiungete l'aglio e cuocete per un altro minuto. Togliete la padella dal fuoco e aggiungete il basilico, il sale e il pepe. Spalmate sulle fette di pane la feta e aggiungete qualche fogliolina di rucola. Guarnite con i funghi e servite subito.

(www.pianetadonna.it)

		Sì	No
1	Le bruschette si possono mangiare anche a mezzogiorno	☐	☐
2	Le bruschette si possono preparare anche all'ultimo minuto	☐	☐
3	Le fette di pane per la bruschetta devono essere sottili	☐	☐
4	Se non abbiamo basilico si può usare il prezzemolo	☐	☐
5	Il formaggio non deve essere duro	☐	☐
6	L'olio deve essere scaldato insieme al burro	☐	☐
7	I funghi porcini devono essere freschi	☐	☐
8	Se si vuole, si può aggiungere anche l'origano	☐	☐
9	Sul pane insieme alla feta va anche spalmato l'aglio	☐	☐
10	Le bruschette vanno accompagnate dal vino rosso	☐	☐

CELI 2

Leggere il testo. Non tutte le informazioni sotto indicate sono presenti nel testo. Indicare *Sì*, **se l'informazione è presente, e** *No*, **se non è presente.**

Togliere le macchie d'erba

Quando siamo al parco o seduti sopra a un bel prato, il rischio di macchiarsi con l'erba è molto alto, per non parlare, poi, dei bambini che corrono, giocano e amano rotolarsi nel verde. Vediamo qualche rimedio naturale per togliere le macchie d'erba dai vestiti.
Se l'abito da smacchiare è in cotone o in lino si può applicare sulla macchia del latte freddo e poi lasciarlo un po' nell'acqua prima di procedere con il lavaggio; se la macchia è secca strofinate con del succo di limone e poi risciacquate con acqua tiepida. Se la macchia si trova su una maglia di lana, strofinate delicatamente con una soluzione a base di acqua tiepida, alcool e ammoniaca (tre parti di acqua, una di ammoniaca e due di alcool), poi sciacquate con acqua e aceto.
Generalmente, per togliere le macchie d'erba dai capi bianchi basta tenerli un po' in acqua molto calda e poi risciacquarli; oppure si può trattare con del latte freddo o con l'alcool.

(www.comefaretutto.com)

		Sì	No
1	I bambini hanno più probabilità di sporcarsi con l'erba al parco	☐	☐
2	I rimedi naturali per smacchiare gli abiti sono i migliori	☐	☐
3	Per togliere le macchie sui pantaloni di lino serve il latte	☐	☐
4	Anche il succo di limone è utile per le macchie sui vestiti di cotone o di lino	☐	☐
5	Per smacchiare i capi di lana usiamo anche l'ammoniaca	☐	☐
6	Per i maglioni di lana se non abbiamo l'aceto possiamo usare il limone	☐	☐
7	Se usiamo l'acqua calda le maglie di lana si rovinano	☐	☐
8	Per i vestiti di seta si usa lo stesso rimedio come per quelli di lana	☐	☐
9	Per le macchie sui vestiti bianchi può essere utile anche il latte	☐	☐
10	Sui vestiti bianchi è più facile togliere la macchia	☐	☐

6 **Leggere il testo. Non tutte le informazioni sotto indicate sono presenti nel testo. Indicare
Sì, se l'informazione è presente, e *No*, se non è presente.**

Usare un frullatore

Ma a cosa serve esattamente il frullatore? Se avete dei bambini piccoli, sarà sicuramente un elettrodomestico che utilizzerete praticamente tutti i giorni. Potete utilizzarlo per frullare la frutta o preparare degli ottimi passati di verdura risparmiando così molto tempo. Naturalmente, il frullatore è utile anche se non avete bambini soprattutto d'estate per la preparazione del frappè alla frutta: aggiungete una banana tagliata a pezzetti e azionate il frullatore. Il risultato è un delizioso e gustosissimo frappè alla banana. In questo caso il frullatore ideale è quello di misura standard: è sufficiente che abbia la lama per tritare il ghiaccio e una velocità adeguata. Un'altra cosa da tenere presente è la manutenzione e il suo corretto utilizzo. Per questo è bene leggere attentamente le istruzioni d'uso, che dovrebbero essere chiare, semplici e in lingua italiana. Come ogni altro elettrodomestico, anche il frullatore è coperto da garanzia, quindi conservate lo scontrino per eventuali problemi. Il prezzo varia molto a seconda di quello che andiamo ad acquistare. Ce ne sono comunque per tutte le tasche e di tutti i tipi, in base alle proprie esigenze e alle proprie disponibilità economiche.

(*www.guidaconsumatore.com*)

	Sì	No
1 Usare un frullatore è una cosa molto semplice	☐	☐
2 Il frullatore si usa molto se in casa ci sono bambini piccoli	☐	☐
3 Questo apparecchio si usa molto anche per preparare cibi per gli anziani	☐	☐
4 Se usiamo il frullatore passiamo le verdure più velocemente	☐	☐
5 Il frullatore standard ha da due a tre velocità	☐	☐
6 Per il frappè alla banana dobbiamo aggiungere il latte	☐	☐
7 Col frullatore si può anche fare il frappè al caffè	☐	☐
8 Le istruzioni per l'uso del frullatore dovrebbero essere in italiano	☐	☐
9 Se il frullatore si rompe abbiamo la garanzia	☐	☐
10 I modelli per i frullatori sono diversi e così anche i prezzi	☐	☐

CELI 2

7 Leggere il testo. Non tutte le informazioni sotto indicate sono presenti nel testo. Indicare *Sì*, se l'informazione è presente, e *No*, se non è presente.

Cani al mare

Si divertono a correre e a nuotare. Per la maggior parte dei cani il mare (o il lago) è meglio di un luna park. "Sono pochi quelli che non hanno un buon rapporto con l'acqua e in questo caso non vanno forzati!" – suggerisce S. Sartori –, veterinaria. Per tutti gli altri invece ecco alcuni consigli.

La prima regola riguarda l'orario: con il cane è meglio andare in spiaggia al mattino presto o nel tardo pomeriggio. Altrimenti i raggi del sole producono riflessi che irritano gli occhi e arrossano la pelle. Dopo il bagno, il cane ha bisogno di un riparo all'ombra. L'ideale è se c'è una pineta vicino alla spiaggia, altrimenti è indispensabile l'ombrellone. E se stiamo al mare dalla mattina alla sera allora dobbiamo portarlo a fare una passeggiata ogni due ore. Tornati a casa bisogna sciacquare il cane con acqua dolce e non troppo fredda, ma senza shampoo. Infatti questo va usato solo ogni due mesi per non irritare la pelle. Infine dobbiamo stare attenti che il cane entri in acqua cinque o sei ore dopo il pasto e che non beva acqua di mare che potrebbe procurargli problemi.

(Donna Moderna)

		Sì	No
1	Alla maggior parte dei cani piace il mare	☐	☐
2	Ad alcuni cani piace anche andare al luna park	☐	☐
3	È meglio evitare di portare i cani al mare quando il sole è troppo forte	☐	☐
4	Se il cane ha problemi agli occhi è meglio evitare il mare	☐	☐
5	Il cane non deve stare troppe ore in mare	☐	☐
6	Dobbiamo evitare che il cane dorma al sole	☐	☐
7	Dopo il bagno è meglio portare il cane all'ombra	☐	☐
8	Ci sono degli shampoo particolari solo per cani	☐	☐
9	Alcuni cani sono allergici allo shampoo	☐	☐
10	Dopo mangiato il cane non deve fare subito il bagno	☐	☐

EDILINGUA

8 Leggere il testo. Non tutte le informazioni sotto indicate sono presenti nel testo. Indicare *Sì*, se l'informazione è presente, e *No*, se non è presente.

Il giardino tra i tetti

Il mio terrazzo è un vero e proprio paradiso tra i tetti di Mantova: il mio rifugio preferito dopo una giornata di lavoro in ufficio. Qui mi rilasso, mi siedo sulla poltrona, tolgo i tacchi e leggo un libro. Tante volte torno a casa durante la pausa pranzo e, come oggi, mi gusto il caffè sfogliando una rivista. Bastano 10 minuti per rilassarsi, senza pensare al lavoro o alle cose da fare. Io adoro il giardinaggio, soprattutto i fiori, e ho appena comprato tante nuove piante, perché sto cercando di ricreare una specie di bosco cittadino. Mi piacerebbe avere un'intera parete coperta di verde, magari di gelsomino. Sto anche pensando di ridipingere i muri e mettere qualche tenda. Ma non voglio che questo spazio cambi troppo. La sera è piacevole invitare tante persone e passare una bella serata cucinando in compagnia. E anche ora che è autunno organizzo in terrazzo i miei aperitivi, i più gustosi di tutta la città. Non mi credete? Chiedetelo ai miei amici: non se ne perdono nemmeno uno.

Elena D.

(Donna Moderna)

		Sì	No
1	In terrazzo Elena sta sempre in pantofole	☐	☐
2	Il caffè lo beve sempre nel suo terrazzo	☐	☐
3	Durante la pausa pranzo torna spesso a casa	☐	☐
4	Nel suo terrazzo passa molte ore	☐	☐
5	Le piace occuparsi dei fiori e delle piante	☐	☐
6	Pensa di dipingere le pareti di verde	☐	☐
7	La pianta che le piace di più è il gelsomino	☐	☐
8	Non vuole fare troppi cambiamenti in questo terrazzo	☐	☐
9	La sera le piace cucinare insieme agli amici	☐	☐
10	È bravissima a preparare gli aperitivi	☐	☐

9 Leggere il testo. Non tutte le informazioni sotto indicate sono presenti nel testo. Indicare *Sì*, se l'informazione è presente, e *No*, se non è presente.

Il pesce in pentola

Gli italiani amano il pesce (piace a 9 persone su 10) e lo comprano almeno una volta a settimana, facendo attenzione alla freschezza e alla provenienza prima ancora che al prezzo.

La specie preferita? Il branzino, seguito da alici e crostacei, mentre in fondo alla classifica troviamo tonno e sardine. Sono i risultati della ricerca *Gli italiani e il pesce fresco*, condotta da Ipsos. I consumatori sono anche in

grado di individuare le caratteristiche del pesce fresco: occhio trasparente e lucido, profumo di mare, branchie rosse e umide, carne consistente. Per gli italiani il pesce migliore è quello del Mediterraneo, considerato più sicuro, gustoso e salutare e anche facile da preparare. Il metodo di cottura preferito è semplice: la griglia, seguita dal forno. I fritti non sono molto amati e ancora meno il pesce crudo, amato solo dal 3% dei consumatori. Gli italiani, infine, scelgono il pesce non solo perché è buono, ma anche perché fa bene ed è ottimo per una cena leggera e sana.

(*Cucina Moderna*)

		Sì	No
1	Il pesce piace alla maggioranza degli italiani	☐	☐
2	Agli italiani interessa molto sapere da dove proviene il pesce	☐	☐
3	Gli italiani non amano il tonno in scatola	☐	☐
4	Gli italiani sanno capire se il pesce è fresco	☐	☐
5	Gli italiani considerano il pesce del Mediterraneo il più buono	☐	☐
6	Gli italiani non mangiano molto il pesce fritto	☐	☐
7	Gli italiani non amano il pesce bollito	☐	☐
8	Il pesce è ancora più caro della carne	☐	☐
9	Con il pesce si può preparare una cena leggera	☐	☐
10	Gli italiani di solito mangiano il pesce la sera	☐	☐

10 Leggere il testo. Non tutte le informazioni sotto indicate sono presenti nel testo. Indicare *Sì*, se l'informazione è presente, e *No*, se non è presente.

Caldo, acqua e salute

Anche quest'anno il caldo è arrivato: dunque bisogna prevenire il rischio di malesseri causati da temperature troppo alte. Tra le persone più a rischio ci sono i bambini e gli anziani, che richiedono qualche attenzione in più. Ecco qualche consiglio. Bere acqua spesso e in abbondanza, ma non troppo fredda; da evitare invece le bevande zuccherate o gassate. Gli anziani dovrebbero bere e mangiare in modo adeguato, con piatti leggeri e molta frutta; spesso infatti, quando fa troppo caldo, non hanno voglia di mangiare. Vanno evitati gli alcolici e sono da preferire piatti che non richiedono l'uso del forno, perché riscalda gli ambienti. Inoltre dovrebbero soggiornare in luoghi freschi, non restare soli, non uscire all'aperto nelle ore più calde e lavarsi con acqua tiepida.

(*Vivere sani*)

		Sì	No
1	Con il caldo gli anziani e i bambini possono sentirsi male	☐	☐
2	Quando fa caldo si deve bere tanta acqua fresca	☐	☐
3	È meglio bere l'acqua minerale invece che quella del rubinetto	☐	☐
4	Gli anziani devono evitare cibi pesanti	☐	☐
5	È meglio mangiare la frutta durante il giorno e non la sera	☐	☐
6	Quando fa caldo i bambini non devono mangiare troppi gelati	☐	☐
7	In estate per cucinare è meglio evitare di usare il forno	☐	☐
8	Quando fa caldo è meglio se gli anziani stanno in compagnia	☐	☐
9	In estate i bambini non devono giocare all'aperto	☐	☐
10	Col caldo è bene fare spesso la doccia durante il giorno	☐	☐

Preparazione al CELI 2

11 Leggere il testo. Non tutte le informazioni sotto indicate sono presenti nel testo. Indicare *Sì*, se l'informazione è presente, e *No*, se non è presente.

Motorino: sì o no?

Tuo figlio vuole indipendenza e soprattutto una moto tutta sua, ma i rischi di incidenti stradali preoccupano la tua coscienza di mamma? Prima di rispondere con un no valuta con noi i pro e i contro. Lui sostiene che gli serve assolutamente per muoversi ed evitare lo scomodo e sempre in ritardo mezzo pubblico e che non è per moda che vuole il motorino. Se gli compri il motorino i *vantaggi* sono: guadagno da parte tua di tempo e anche, in minima parte, per lui. Potrà avere per esempio più tempo per studiare, arrivando prima a casa e non dovendo seguire gli orari dell'autobus. Sarà più libero di organizzare le sue giornate. Se consideri poi che tutti i suoi amici lo possiedono, può essere che va comunque in moto con i suoi amici e quindi il pericolo di incidenti c'è comunque.

Quando invece pensi agli *svantaggi*, immediatamente pensi alle tue paure degli incidenti stradali, la possibilità che faccia male a se stesso o a qualcun altro. Poi dal punto di vista educativo forse hai paura che, se ottiene il suo motorino subito, diventi viziato.

(www.donna.libero.it)

		Sì	No
1	Per un ragazzo avere il motorino significa essere indipendente	☐	☐
2	Una mamma deve valutare gli aspetti positivi e negativi prima di acquistare un motorino per il figlio	☐	☐
3	Un ragazzo che non ha il motorino si vergogna con i suoi amici	☐	☐
4	Un ragazzo che ha la moto spreca meno tempo con i mezzi pubblici	☐	☐
5	I ragazzi con il motorino arrivano in orario a scuola	☐	☐
6	Quando il figlio ha il motorino, la mamma è libera tutto il giorno	☐	☐
7	Tutti i ragazzi che hanno il motorino di solito studiano di più	☐	☐
8	Le mamme hanno sempre paura degli incidenti stradali	☐	☐
9	Una mamma può avere paura di viziare il figlio se gli compra il motorino	☐	☐
10	I figli devono prendere la patente prima di guidare un motorino	☐	☐

EDILINGUA

12 Leggere il testo. Non tutte le informazioni sotto indicate sono presenti nel testo. Indicare *Sì*, se l'informazione è presente, e *No*, se non è presente.

Benvenuti all'Hotel Morfeo. *L'atmosfera di un ostello, con il comfort di un buon hotel a 3 stelle!*
Gli hotel Morfeo 1 e 2, a Rimini sulla Riviera Adriatica, (situati a 30 metri l'uno dall'altro) sono due strutture separate ma che condividono spazi e servizi con l'obiettivo di offrire una vacanza unica nel suo genere. Fanno parte del gruppo alberghiero *Young People Hotels* e sono i primi hotel italiani ideati e riservati unicamente a ragazzi e ragazze dai 16 a 35 anni!
I servizi, il personale, gli orari, le attività, gli sconti e le convenzioni, sono studiati e dedicati solo ed esclusivamente per i giovani!
La tua vacanza a Rimini diventa proprio come la immaginavi: un viaggio al mare con tanto sano divertimento che inizia in hotel e continua fino alla sera. Spiaggia, mare, sport, locali, ristoranti, pub, parchi di divertimento… Ti facciamo scoprire e vivere la Riviera a 360 gradi!
In questi alberghi parliamo italiano, inglese, tedesco, russo, francese e dialetto romagnolo. Vogliamo divertire e divertirci e anche per questo il nostro staff ha un'età compresa tra i 20 e i 35 anni e proviene da diversi Paesi Europei. Con le animazioni serali, le attività in hotel e in spiaggia, le piccole e divertenti escursioni e consigliandoti tutte le cose da fare in Riviera, avrai sempre un punto di riferimento durante la tua vacanza. I prezzi dei due hotel, i nostri pacchetti e l'atmosfera festaiola sono identici. Si offre inoltre noleggio bici gratis e videogames per tutti.

(*www.hotelmorfeo.com*)

		Sì	No
1	Gli hotel Morfeo 1 e 2 si trovano vicino al mare	☐	☐
2	Gli hotel Morfeo ospitano giovani di qualsiasi nazionalità	☐	☐
3	Gli Hotel Morfeo 1 e 2 sono stati i primi di questo genere ad aprire in Italia	☐	☐
4	Ora in Italia ci sono molti altri hotel di questo tipo	☐	☐
5	Gli hotel Morfeo 1 e 2 offrono servizi particolari per i giovani	☐	☐
6	In questi due hotel il divertimento è assicurato 24 ore su 24	☐	☐
7	Per lavorare in questo hotel bisogna parlare 3 lingue straniere	☐	☐
8	Gli hotel Morfeo 1 e 2 organizzano molte attività per i giovani	☐	☐
9	Questi hotel sono molto economici	☐	☐
10	Ogni stanza è dotata di videogames	☐	☐

CELI 2

13 Leggere il testo. Non tutte le informazioni sotto indicate sono presenti nel testo. Indicare *Sì*, se l'informazione è presente, e *No*, se non è presente.

Viaggio di nozze in mongolfiera

Il primo giorno da marito e moglie, Sebastian Materia e la sua signora, Roberta Consoli, lo hanno trascorso nei cieli varesini viaggiando su una mongolfiera. "Era il sogno di mia moglie – spiega il novello sposo – e quando il vicedirettore del *Palace Hotel* me lo ha proposto non mi sembrava vero. Abbiamo deciso, quindi, di farle una sorpresa. È stata dura mantenere il segreto, ma ne è valsa la pena". Si sono sposati domenica a Bisuschio e dopo il ricevimento hanno passato la prima notte al *Palace Hotel* prima di partire per il Madagascar, una luna di miele di quindici giorni. "Roberta era convinta di dovere lasciare la stanza alle otto. Siamo scesi nella hall, siamo usciti e siamo decollati". Hanno librato nei cieli della città di Varese a bordo non di una mongolfiera qualsiasi, ma quella che ha volato sul Kilimangiaro, sull'Everest, sulle Alpi e non solo. "A bordo ci attendevano brioches, biscotti, caffè e succo di frutta – racconta Roberta –. Era un mio sogno e consiglio a tutti di provare quest'esperienza perché è stato veramente bellissimo".

(*www.laprovinciadivarese.it*)

		Sì	No
1	Sebastian e Roberta si sono sposati	☐	☐
2	Roberta ha sempre voluto volare in mongolfiera	☐	☐
3	All'inizio Sebastian non era sicuro di questa idea	☐	☐
4	Sebastian ha tenuto segreto il giro in mongolfiera	☐	☐
5	Il *Palace Hotel* è famoso per l'organizzazione di giri in mongolfiera	☐	☐
6	La coppia è partita per il Madagascar il giorno dopo il ricevimento	☐	☐
7	La mongolfiera aspettava davanti all'albergo	☐	☐
8	Il giro in mongolfiera è durato tutta la mattina	☐	☐
9	La stessa mongolfiera di Sebastian e Roberta ha già fatto lunghi viaggi	☐	☐
10	In mongolfiera Sebastian e Roberta hanno fatto colazione	☐	☐

14 Leggere il testo. Non tutte le informazioni sotto indicate sono presenti nel testo. Indicare *Sì*, se l'informazione è presente, e *No*, se non è presente.

Le offerte della Fiat

Chi compra un'automobile del gruppo Fiat pagherà benzina e gasolio 1 € per tre anni. L'iniziativa della Fiat è in risposta all'aumento del prezzo del carburante. Al momento dell'acquisto di una nuova auto il cliente riceverà una carta che permetterà di pagare il carburante 1 € al litro nei distributori *Ip* per dodici mesi.
Ecco come funzionerà. Quando il cliente acquista la sua nuova auto, riceverà una carta personale che verrà caricata in euro con una quantità di litri che varia dal modello di auto acquistato.
Per esempio, se si sceglie una *Freemont*, la carta permetterà un rifornimento totale di 2.500 litri; per una *Bravo* o una *Sedici* 2.000 litri; per una *Punto* 1.700 litri; per una *Panda* o una *Cinquecento* 1.500 litri.
Il cliente Fiat pagherà esibendo la carta alla stazione di servizio. L'offerta è valida inizialmente per il mese di giugno ma se avrà successo potrebbe continuare nei mesi successivi.

(www.ilmattino.it)

		Sì	No
1	Questa offerta vale solo se si acquistano macchine Fiat	☐	☐
2	Con l'acquisto dell'auto nuova si riceve una carta per l'acquisto di benzina o gasolio	☐	☐
3	Con questa carta il prezzo del carburante è fisso per tre anni	☐	☐
4	Il cliente che compra una nuova auto deve richiedere la carta	☐	☐
5	Questa offerta vale solo per auto piccole, le city car	☐	☐
6	Il cliente deve attivare la carta prima di usarla	☐	☐
7	Il cliente può ricaricare questa carta in tutti i distributori *Ip*	☐	☐
8	Il numero di litri di carburante caricati nella carta dipendono dall'auto acquistata	☐	☐
9	Per pagare al distributore basta presentare questa carta	☐	☐
10	Per il momento l'offerta vale solo per sei mesi	☐	☐

CELI 2

Leggere il testo. Non tutte le informazioni sotto indicate sono presenti nel testo. Indicare *Sì*, **se l'informazione è presente, e** *No*, **se non è presente.**

Perché i negozianti non vogliono gli orari liberi?

Prendiamo ad esempio una città come Milano: per i saldi, i clienti nei negozi non mancano ma i dati parlano di un calo d'acquisti in genere. Da ora con *Salva Italia*, i negozi possono rimanere aperti tutti i giorni, anche la notte. Un provvedimento che piace ai clienti, ma non ai commercianti e ai lavoratori. Da inizio anno infatti è possibile tenere aperti i negozi 365 giorni all'anno, 24 ore su 24. Alcuni pensano che questo possa garantire maggiore produttività al Paese. I commercianti e i lavoratori invece pensano che non porterà a nessun miglioramento delle vendite e della produzione. Chi ha un'attività in proprio non può tenere sempre aperto il negozio. Ancora una volta, quindi, sarà favorita la grande distribuzione di catene di negozi, alimentari, centri commerciali ecc., mentre i negozi del quartiere rischiano di sparire, privando i clienti del rapporto personale e di fiducia che li caratterizza. Tra l'altro, già ora i clienti possono contare su un'ampia fascia oraria, che va dalle 7 alle 22 nei comuni delle zone turistiche con aperture domenicali e festive.

(Donna Moderna)

		Sì	No
1	A Milano le vendite nei negozi sono diminuite	☐	☐
2	Da ora i negozi, se vogliono, possono restare aperti 24 ore al giorno	☐	☐
3	I commercianti e i lavoratori dei negozi hanno iniziato una protesta	☐	☐
4	Ora i lavoratori si rifiutano di lavorare più di 8 ore al giorno	☐	☐
5	L'apertura continua dei negozi potrebbe aiutare la produzione	☐	☐
6	I commercianti dei piccoli negozi si rifiutano di aprire in questi orari	☐	☐
7	I grandi negozi sono favoriti da questo provvedimento	☐	☐
8	I clienti, in genere, preferiscono fare spese nei piccoli negozi	☐	☐
9	Le grandi catene possono offrire maggiori sconti e offerte	☐	☐
10	Nelle zone turistiche si trovano negozi aperti anche nei giorni di festa	☐	☐

16 Leggere il testo. Non tutte le informazioni sotto indicate sono presenti nel testo. Indicare *Sì*, se l'informazione è presente, e *No*, se non è presente.

Incredibile ma vero

L'aeroporto JF Kennedy, il più importante di New York, si è fermato ieri per alcune ore a causa di una vera e propria invasione di tartarughe che hanno occupato le piste dell'aeroporto in cerca di una spiaggia dove deporre le loro uova. Il fatto è accaduto ieri mattina presto, poco prima delle sette. Inizialmente, la torre di controllo ha contattato un pilota pronto a decollare informandolo che c'era una tartaruga sulla pista. Allora il pilota ha dato ordine che venisse rimossa la tartaruga avvistata e un addetto dell'aeroporto si è recato sulla pista, l'ha presa e l'ha spostata. Nell'arco di poco tempo è stato chiaro che il problema non era limitato ad un unico esemplare, ma che una piccola folla di tartarughe si muoveva lentamente lungo la pista con l'obiettivo di raggiungere la spiaggia poco distante e deporre le uova. L'intervento del personale dell'aeroporto è servito a caricare gli animali su un camioncino e spostarli in una zona più sicura, da cui hanno potuto riprendere il loro viaggio indisturbati.

(*www.petslife.tv*)

		Sì	No
1	L'aeroporto JF Kennedy viene spesso invaso da tartarughe	☐	☐
2	L'aeroporto è stato chiuso al traffico per delle ore	☐	☐
3	Le tartarughe erano dirette verso la spiaggia	☐	☐
4	Le tartarughe sono state liberate nell'aeroporto per sbaglio	☐	☐
5	Anche alcuni passeggeri sono usciti in pista per raccogliere le tartarughe	☐	☐
6	Il pilota ha ordinato di portare via le tartarughe dalla pista	☐	☐
7	Tutte le tartarughe sono state salvate	☐	☐
8	Le tartarughe erano di grandi dimensioni	☐	☐
9	Le tartarughe hanno invaso una sola pista	☐	☐
10	Le tartarughe sono state portate in una spiaggia isolata	☐	☐

Preparazione al
CELI 2

17 Leggere il testo. Non tutte le informazioni sotto indicate sono presenti nel testo. Indicare *Sì*, se l'informazione è presente, e *No*, se non è presente.

Compiti a casa? No, grazie.

I compiti a casa sono scomodi, soprattutto per i genitori. Spesso si passano interi pomeriggi alla scrivania a studiare con i figli ed è una vera schiavitù. Se poi gli insegnanti li assegnano anche per le vacanze di Natale, di Pasqua ed estive, i genitori si sentono prigionieri della propria casa perché i figli devono lavorare. Dicono che ora è sempre più diffuso, in particolare per i ragazzi più grandi, il ricorso a dei tutor disponibili su alcuni siti Internet. E sembra oramai affascinante fare i compiti assieme ai compagni via Skype restando comodamente seduti a casa propria davanti al pc anche se in questo modo le ore che i ragazzi passano al computer si moltiplicano. In Francia è in atto una vera e propria ribellione: almeno per le prossime due settimane, saranno i genitori a chiedere ai propri figli di non svolgere alcuna attività domestica. I genitori affermano che non solo i benefici degli esercizi scolastici a casa non sono mai stati provati scientificamente, ma che i compiti sono spesso causa di litigi tra genitori e figli.

(www.laprofonline.com)

		Sì	No
1	Per i genitori i compiti per casa sono un problema	☐	☐
2	I figli hanno spesso troppi compiti da fare	☐	☐
3	I genitori spesso fanno i compiti per il loro figli	☐	☐
4	Ora è possibile trovare in rete un aiuto per i compiti per casa	☐	☐
5	Le lezioni dei tutor in rete sono costose	☐	☐
6	Alcuni studenti amano fare i compiti su Skype con i loro compagni	☐	☐
7	Lo svantaggio di usare Skype è che i ragazzi sono sempre al pc	☐	☐
8	Ora in Francia nessuno fa i compiti per casa	☐	☐
9	I genitori francesi pensano che i compiti a casa non servano a niente	☐	☐
10	I figli che studiano con i genitori danno scarsi risultati a scuola	☐	☐

18 Leggere il testo. Non tutte le informazioni sotto indicate sono presenti nel testo. Indicare *Sì*, se l'informazione è presente, e *No*, se non è presente.

Per me correre è come un lavoro

Mai un giorno di riposo. Quarantadue chilometri a Natale, a Capodanno, a Pasqua con i 38 gradi di luglio e con i 10 gradi di gennaio. Ma come si fa? C'era una volta il detto *una mela al giorno toglie il medico di torno* e forse funziona anche con la maratona. Infatti Stefaan Engels, 49 anni ex bimbo malato di asma, è sopravvissuto alla sua impresa e quindi significa che si può fare. Il belga ha completato nei giorni scorsi in Spagna un record inseguito da un anno: correre 365 maratone in 365 giorni per un totale di 15.411,175 chilometri. Ha corso in sette Paesi, passando dall'aria inquinata a 2000 metri di altitudine di Città del Messico, dal freddo delle Alpi ai 40 gradi di agosto nel Sud della Spagna. "Non è stata una tortura – ha detto – anzi, è stato molto bello, è una cosa normale per me". Ha consumato 25 paia di scarpe, ha dormito 12 ore per notte e, di media, ha corso quattro ore a maratona. "Per me correre non è nulla di straordinario; è come un lavoro – ha spiegato nella sua conferenza stampa finale a Barcellona –. Anche se credo sia più faticoso avere a che fare ogni giorno con un capo che farsi 42 chilometri". Può essere, anzi sicuramente è così, ma non tutti possono ovviamente permetterselo. Per il belga essere nel libro del Guinnes dei primati costituisce una soddisfazione.

(*www.blog.ilgiornale.it*)

		Sì	No
1	Stefaan ha corso una maratona per ogni giorno dell'anno	☐	☐
2	Stefaan corre con il freddo e con il caldo	☐	☐
3	Il segreto di Stefaan è una mela al giorno	☐	☐
4	Stefaan dice che correre l'ha aiutato a vincere l'asma	☐	☐
5	Stefaan ha corso anche in montagna	☐	☐
6	Stefaan ha dovuto cambiare 25 paia di scarpe in un anno di maratone	☐	☐
7	Stefaan deve fare una vita molto disciplinata	☐	☐
8	Stefaan preferisce le maratone piuttosto che il lavoro con un capo	☐	☐
9	Stefaan continuerà così anche il prossimo anno	☐	☐
10	Per Stefaan tutti ce la possono fare e diventare maratoneti	☐	☐

Preparazione al
CELI 2

19 Leggere il testo. Non tutte le informazioni sotto indicate sono presenti nel testo. Indicare *Sì*, se l'informazione è presente, e *No*, se non è presente.

Ha ritrovato il suo violino

Gemma, una giovane musicista che studia a Imola, stava rientrando a Firenze con un treno regionale. Quando il treno si è fermato alla stazione prima di Santa Maria Novella (San Marco Vecchio) era buio; lei non sapeva dov'era ed è scesa dal vagone per controllare il cartello. Nel frattempo però il treno è ripartito col suo violino. Da qui una corsa disperata fino alla stazione di Firenze: il treno c'era ma il violino no.

La giovanissima proprietaria del violino, per cercare lo strumento, del valore di circa 15.000 euro, ha tentato subito la strada dei social network aprendo a tempo di record il profilo "violino rubato" su Facebook. Poi c'è stato il tam tam dei media che sicuramente ha messo sull'avviso una ragazza che ha notato il violino accanto a un cassonetto in zona Santo Spirito a Firenze e che, attraverso i recapiti su Facebook, l'ha contattata e le ha restituito il violino. Il violino è un Claude Lebet del 1989 modello Guadagnini e senza il suo violino sarebbe stato difficile per Gemma proseguire gli studi.

(www.lanazione.it)

	Sì	No
1 Gemma ritornava a Firenze in treno	☐	☐
2 Gemma è scesa dal treno per controllare il nome della stazione	☐	☐
3 Gemma si è fermata troppo tempo giù dal treno	☐	☐
4 Il treno di Gemma è ripartito senza di lei	☐	☐
5 Secondo Gemma il violino è stato rubato a Firenze	☐	☐
6 Gemma ha rincorso il treno con un taxi	☐	☐
7 Per ritrovare il suo violino Gemma ha lanciato un appello su Facebook	☐	☐
8 Anche i giornali hanno pubblicato le foto del violino e il nome della ragazza	☐	☐
9 Il violino è stato trovato vicino ai rifiuti	☐	☐
10 Gemma ha anche fatto la denuncia alla Polizia	☐	☐

EDILINGUA

20 Leggere il testo. Non tutte le informazioni sotto indicate sono presenti nel testo. Indicare *Sì*, se l'informazione è presente, e *No*, se non è presente.

Perché lavorare all'estero?

Chi fa le valigie per destinazioni europee o internazionali ha più possibilità di vincere la concorrenza sul mercato del lavoro. I manager italiani dichiarano che nei loro processi di selezione del personale, favoriscono coloro che hanno già lavorato fuori dall'Italia, che conoscono una lingua straniera e che hanno imparato a interagire con un'altra cultura. Partecipare ad uno stage o uno scambio di studi fuori dai confini nazionali, è un'occasione unica per la crescita personale e professionale, per guadagnare autostima, per conoscere la cultura e il modo di vivere del paese ospitante. Recenti statistiche dimostrano che sono ancora pochi i giovani italiani disposti a mettersi in gioco e affrontare un'esperienza di lavoro all'estero, ma cresce la percentuale dei giovani che ci provano. Questi gli obiettivi che molti giovani cercano di raggiungere mettendo sul proprio CV un'esperienza di formazione o lavoro all'estero.

(www.cambiolavoro.com)

		Sì	No
1	Bisogna stare all'estero almeno per qualche anno	☐	☐
2	Chi fa un'esperienza all'estero trova più facilmente lavoro in Italia	☐	☐
3	I manager italiani preferiscono assumere persone con esperienza all'estero	☐	☐
4	Chi ha fatto esperienza all'estero di solito è più produttivo nel lavoro	☐	☐
5	Chi è stato all'estero ha potuto conoscere culture diverse	☐	☐
6	Chi ha fatto esperienza all'estero guadagna di più in Italia	☐	☐
7	Chi non va all'estero non impara mai bene le lingue straniere	☐	☐
8	Molti italiani preferiscono ancora lavorare in Italia piuttosto che fare un'esperienza all'estero	☐	☐
9	Chi va all'estero ha sempre un CV migliore	☐	☐
10	È bene aggiungere al proprio CV tutte le lingue straniere conosciute	☐	☐

Completare le frasi con la parola opportuna, indicando con una X la parola scelta.

1 Esco spesso con Ugo .... è più grande di me.

   a ma
   b perché
   c anche se
   d anche

2 Non gli presto la mia macchina .... guida male.

   a finché
   b ancora
   c perché
   d se

3 Non conosco il suo nome .... il suo indirizzo.

   a anche
   b né
   c ancora
   d appena

4 .... lo spettacolo, c'era molto silenzio in sala.

   a Durante
   b Mentre
   c Se
   d Siccome

5 .... prendi la macchina arriverai sicuramente in tempo.

   a Anche
   b Perché
   c Se
   d Come

6 Giorgio non ha .... finito di pagare il prestito alla banca.

   a anche

   b appena

   c già

   d ancora

7 Hai deciso di venire con noi .... preferisci rimanere a casa?

   a eppure

   b oppure

   c e

   d neanche

8 .... Giulia non starà meglio, rimarrà con voi.

   a Finché

   b Perché

   c Quando

   d Poiché

9 .... stavo male, non mi sono presentata all'esame.

   a Perciò

   b Siccome

   c Quindi

   d Se

10 Ho incontrato Giuseppe .... siamo andati al bar.

   a anche

   b ma

   c o

   d e

11 Mio figlio studia Medicina, ... non gli piace.

   a ma
   b neanche
   c né
   d anche

12 Prendi un caffè .... preferisci una spremuta?

   a e
   b o
   c ma
   d ancora

13 .... mi ha chiamato sono corso subito da lei.

   a Mentre
   b Finché
   c Appena
   d Ancora

14 Non mi piacciono gli spaghetti e .... il risotto.

   a neanche
   b ancora
   c anche
   d né

15 La mia macchina non funziona, ... vengo in moto.

   a perché
   b mentre
   c perciò
   d siccome

16 L'abbiamo incontrato .... facevamo la fila per comprare il biglietto.

   a mentre

   b intanto

   c durante

   d allora

17 Ieri non ho studiato .... non ne avevo voglia.

   a affinché

   b perciò

   c finché

   d poiché

18 La festa è cominciata solo .... è arrivata Luisa.

   a quando

   b che

   c anche

   d allora

19 Ieri Giorgio è arrivato tardi a lezione .... fa sempre.

   a quando

   b come

   c siccome

   d perché

20 Ho capito che era una brava persona .... l'ho conosciuto.

   a appena

   b allora

   c mentre

   d siccome

Preparazione al
CELI 2

21 Mi hanno rubato il portafogli, ... sono rimasto senza soldi.

    a perché
    b infine
    c poiché
    d così

22 .... Rosa è arrivata, mio fratello dormiva.

    a Mentre
    b Appena
    c Quando
    d Allora

23 Tony è veramente simpatico, ... ho deciso di invitarlo.

    a siccome
    b così
    c perché
    d poiché

24 Allora, cosa preferite? Andiamo a teatro .... al cinema?

    a eppure
    b oppure
    c anche
    d però

25 Susanna è molto riservata, sua sorella .... è molto aperta.

    a ma
    b perfino
    c quindi
    d invece

EDILINGUA

26 Te lo prometto: .... sarai promosso andremo a Parigi.

a se
b come
c quando
d allora

27 Io devo finire questo lavoro, voi .... preparate la tavola.

a dopo
b intanto
c mentre
d durante

28 Al corso Erasmus non ho incontrato .... un ragazzo carino.

a né
b oppure
c appena
d neanche

29 Sono molto affezionati a Fabio e lo trattano .... un figlio.

a quasi
b abbastanza
c come
d giusto

30 Gli ho chiesto scusa .... lui non mi ha perdonato.

a e
b ma
c senza
d affinché

31 Giorgio, lo sai, le pere non mi piacciono e .... le mele.

    a né
    b anche
    c eppure
    d neppure

32 A cena vengono Sandra, Marisa .... i loro mariti.

    a e
    b se
    c che
    d anche

33 Giulio va in vacanza a Ischia. .... i suoi amici andranno lì.

    a E
    b Anche
    c Ancora
    d Inoltre

34 Non preoccuparti. Starò con te .... non torna tuo nonno.

    a affinché
    b intanto
    c finché
    d quando

35 .... avevo mal di stomaco, non ho mangiato niente.

    a Così
    b Anzi
    c Dunque
    d Siccome

36 Non vanno d'accordo da molto tempo e .... si sono separati.

a perché
b inoltre
c ancora
d perciò

37 Le gare di nuoto ci saranno solo sabato? No, ... domenica.

a ancora
b anche
c durante
d intanto

38 Sono un po' in pensiero. Giovanna non è .... tornata.

a subito
b neanche
c ancora
d anche

39 A me non piace studiare; mia sorella .... è la prima della classe.

a anzi
b invece
c anche
d eppure

40 Non ho capito .... Angelo viene a cena o no.

a se
b come
c inoltre
d ancora

41 Carlo, andrai in Germania .... non vincerai la borsa di studio per Berlino?

   a anzi
   b quando
   c anche se
   d dopo che

42 .... ho incontrato Lucia, pioveva molto e allora siamo andati al bar a bere qualcosa.

   a Siccome
   b Mentre
   c Quando
   d Appena

43 .... siete arrivati! Stavo per andare via.

   a Quando
   b Finalmente
   c Appena
   d Infine

44 .... non stavo bene, non mi sono presentata al colloquio di lavoro.

   a Infatti
   b Perciò
   c Perché
   d Siccome

45 Resterai qui da noi .... tornerà Giuseppina?

   a finché
   b quando
   c perché
   d mentre

EDILINGUA

46 Il medico dice che Giovanni non deve fumare più; .... lui continua.

a ancora

b perciò

c tuttavia

d quindi

47 .... Luca mi dà i soldi, andrò all'agenzia di viaggi a prendere i biglietti.

a Se

b Finché

c Dopo

d Dopo che

48 Anna, per favore, controlla in Internet .... parte il treno.

a perché

b mentre

c quando

d finalmente

49 Prendi un tè .... preferisci una spremuta d'arancia?

a anche

b e

c ma

d o

50 Bianca fa aerobica .... non le piace molto.

a ma

b anche

c quando

d intanto

CELI 2

51 Giovanni è molto paziente .... con i bambini.

a anche
b e
c ancora
d nemmeno

52 Massimo non mangia mai dolci, ... in occasioni speciali.

a inoltre
b neanche
c ma
d anzi

53 Sono stata in tutte le città italiane, ... Firenze.

a tranne
b invece
c neanche
d ma

54 Piero non mi ha ascoltato quando gli ho detto che era troppo freddo per fare il bagno al mare, ... oggi è malato.

a poiché
b dunque
c così
d perché

55 Domani vado sia a teatro .... al bar.

a che
b o
c né
d invece

56 .... non avevo voglia, ieri non ho studiato.

a Tuttavia
b Siccome
c Perché
d Mentre

57 Vorrei venire con te a Roma .... ho già detto a Luigi che andrò da lui in montagna.

a eppure
b ma
c appena
d infine

58 La mia moto non funziona, ... vengo a piedi.

a infine
b mentre
c perché
d perciò

59 Non mi piacciono né gli spaghetti .... il risotto.

a né
b sia
c inoltre
d e

60 Enrica ha detto che lavorerà per suo padre .... non trovano una sostituta.

a intanto
b quando
c finché
d anche

61 Mi piacciono tutte le verdure .... l'insalata.

    a eccetto
    b invece
    c ma
    d senza

62 .... c'era poca neve, non abbiamo sciato.

    a Affinché
    b Siccome
    c Infatti
    d Perché

63 .... domani ho molti impegni, non potremo incontrarci.

    a Mentre
    b Anche
    c Quindi
    d Se

64 .... studiavo all'Università, abitavo a Venezia.

    a Perché
    b Quando
    c Appena
    d Mentre

65 .... ho cominciato a lavorare, avevo 28 anni.

    a Finalmente
    b Mentre
    c Quando
    d Quindi

66 Di solito mentre studio, ascolto della musica e .... mio fratello si arrabbia moltissimo.

a perché
b poiché
c inoltre
d perciò

67 Non preoccuparti, ... hai bisogno questo è il mio numero di telefono.

a affinché
b se
c mentre
d anche

68 .... ho saputo che Anna era tornata da Parigi, sono andata a trovarla.

a Appena
b Finché
c Perché
d Mentre

69 .... al burro, compra del latte e dello zucchero!

a Oltre
b Anche
c Ancora
d Inoltre

70 A Venezia ci sono molti bei musei da visitare. .... ci sono molte chiese e palazzi bellissimi.

a Anche
b Inoltre
c Ancora
d E

71 Finisco la lezione alle otto, ... vieni a prendermi alle otto e un quarto.

a se
b oppure
c quindi
d anzi

72 Mia sorella ha una figlia di 22 anni che si comporta .... come una bambina.

a infine
b inoltre
c anche
d ancora

73 Ha invitato tutti, ... i colleghi di ufficio della cugina. Incredibile!

a ma
b perfino
c eppure
d ancora

74 .... ha trovato lavoro in banca, ha rinnovato il suo guardaroba.

a Dopo
b Appena
c Infine
d Così

75 Non vado con Aldo al cinema .... non mi è simpatico, lo sai.

a perché
b ancora
c così
d infine

76 .... mi aveva detto che sarebbe venuta, perché non le telefoni?

   a Eppure
   b Anche
   c Mentre
   d Infine

77 Se mi offendi ...., io non ti parlo più.

   a dunque
   b ancora
   c anche
   d quindi

78 Sara mi aiuta sempre, ... è una vera amica.

   a eppure
   b quindi
   c siccome
   d infatti

79 Laura ha studiato molto, ... ha preso un voto molto alto.

   a perché
   b perciò
   c eppure
   d affinché

80 Mariella non si è comportata bene, ... diceva di essere mia amica.

   a eppure
   b infatti
   c quindi
   d siccome

1 Completare il testo. Scegliere la parola opportuna tra quelle proposte.

L'università

La domanda prima o poi arriva. Ce la facciamo da soli o la fanno i genitori, un amico, un insegnante: "Che cosa pensi (1) .... fare all'università?". La risposta a volte è sicura. Le idee sono chiare. Spesso (2) .... non è così. Difficile a 17-18 anni, al penultimo o all'ultimo (3) .... di scuola superiore, sapere con certezza che cosa si (4) .... fare da grandi. Perché è di questo che si tratta: (5) .... all'università significa scegliere che cosa fare da grandi.

La scelta è vastissima, ma prima di scegliere ci sono cose che (6) .... sapere. E la prima cosa da sapere è che l'università continua ad essere importante anche (7) .... tempo di crisi. Secondo uno studio di *Almalaurea,* con un livello più (8) .... di istruzione cresce anche la possibilità di trovare lavoro (9) .... un buono stipendio. La laurea però non basta. È fondamentale conoscere bene una lingua straniera, (10) .... se più di una.

(Gente)

1 **A** a   **B** da   **C** di

2 **A** però   **B** ma   **C** perciò

3 **A** mese   **B** giorno   **C** anno

4 **A** vorrà   **B** voleva   **C** è voluto

5 **A** scriversi **B** iscriversi **C** scrivere

6 **A** vogliamo   **B** possiamo   **C** dobbiamo

7 **A** con   **B** in   **C** nel

8 **A** basso   **B** alto   **C** medio

9 **A** e   **B** anche   **C** o

10 **A** bene   **B** meglio   **C** migliore

2 Completare il testo. Scegliere la parola opportuna tra quelle proposte.

Il cane in spiaggia

Mare? Montagna? Albergo? Appartamento? Per quasi 8 milioni di famiglie italiane che possiedono un
cane la (1) .... non è così semplice. Perché non
dappertutto i cani (ma (2) .... gli altri animali da
compagnia) sono bene accetti: secondo uno studio
di *Immobiliare.it,* solo il 90% degli appartamenti
(3) .... affitto accetta animali e in molti alberghi i
cani sono vietati. Per trovare alberghi, residence o
campeggi dove è (4) .... portare il cane, vi consigliamo di consultare siti specializzati. Anche l'Ente Nazionale Protezione Animali ha un sito, nel (5) ....
troviamo indirizzi di luoghi dog-friendly e tutte le re-

gole da (6) .... per viaggiare con gli animali. Alcune strutture cominciano a offrire servizi (7) ....,
persino il regalo di benvenuto per i cani. Inoltre le associazioni animaliste calcolano che (8) 8.000
chilometri di spiagge italiane, solo 27 sono attrezzati per accogliere gli animali. Scrivendo a *caninva-
canza@libero.it* (9) .... inoltre avere l'elenco delle spiagge (10) .... in ogni regione accolgono gli
animali a quattro zampe.

(Oggi)

	A	B	C
1	scelta	preferenza	possibilità
2	oppure	ancora	anche
3	in	per	da
4	probabile	possibile	facile
5	quello	quale	cui
6	pensare	scrivere	ricordare
7	strani	belli	particolari
8	sugli	dagli	per gli
9	potrà	potrete	potranno
10	cui	quali	che

Preparazione al
CELI 2

3 Completare il testo. Scegliere la parola opportuna tra quelle proposte.

La palestra

Tra settembre e ottobre c'è la corsa all'iscrizione in palestra. L'obiettivo? Naturalmente cercare di mettersi in (1)............... ed essere fedeli a tutti quei buoni propositi che s'inseguono durante l'estate. La domanda (2)............... ora è un'altra: come si fa a scegliere la palestra (3)...............?

Tra corsi, abbonamenti, strutture con *spa* e senza *spa*, (4)............... piscina o sala per riposare, è molto complicato decidere. Vediamo insieme (5)............... piccola regola per orientarsi e fare la scelta migliore.

Prima di tutto la palestra deve essere vicina (6)............... casa o al lavoro. È molto importante, perché nelle (7)............... di stanchezza, di pigrizia o magari di traffico non (8)............... avere la scusa di essere troppo distanti o finirete per non andarci. La seconda (9)............... è iscriversi in un centro per praticare una cosa specifica. È fondamentale scegliere perciò una struttura che (10)............... possa offrire un servizio preciso.

(*www.comefaretutto.com*)

1 **A** fila	**B** linea	**C** forma
2 **A** ma	**B** però	**C** perciò
3 **A** propria	**B** precisa	**C** giusta
4 **A** con	**B** di	**C** per
5 **A** alcuna	**B** qualche	**C** ogni
6 **A** a	**B** alla	**C** di
7 **A** serate	**B** settimane	**C** nottate
8 **A** preferite	**B** dovete	**C** volete
9 **A** pratica	**B** misura	**C** regola
10 **A** vi	**B** ci	**C** si

EDILINGUA

4 Completare il testo. Scegliere la parola opportuna tra quelle proposte.

Giocare al freddo

Cosa fa meglio alla salute dei nostri figli: tenerli protetti al caldo, in casa o uscire anche (1) .... il tempo è brutto? La ricerca dice che l'aria aperta è il miglior posto (2) .... proteggere i bambini. È sbagliato infatti pensare che il freddo sia la causa dei raffreddori. È vero il (3) .... In inverno ci ammaliamo di più perché passiamo (4) .... tempo in ambienti chiusi dove respiriamo aria già respirata da altri e quindi con una concentrazione maggiore di virus e batteri.

È (5) .... che i bambini si abituino al freddo fin da piccoli, anche se dobbiamo avere qualche piccola accortezza, ad esempio tenere (6) .... i piedi o evitare gli sbalzi di temperatura. Fare una bella passeggiata all'uscita (7) .... scuola, anche quando sarebbe più facile per tutti stare sotto un plaid o con una copertina (8) .... divano, è una sfida da non perdere per grandi (9) .... piccoli. Per la neve non c'è bisogno di consigli, le idee per divertirsi non (10) .... mai.

(Famiglia cristiana)

1	**A** quanto	**B** quando	**C** dove
2	**A** di	**B** da	**C** per
3	**A** diverso	**B** contrario	**C** disuguale
4	**A** più	**B** ancora	**C** anche
5	**A** adatto	**B** proprio	**C** giusto
6	**A** chiusi	**B** caldi	**C** stretti
7	**A** alla	**B** da	**C** della
8	**A** sul	**B** su	**C** sopra
9	**A** oppure	**B** anche	**C** e
10	**A** mancano	**B** perdono	**C** trovano

Preparazione al
CELI 2

5 Completare il testo. Scegliere la parola opportuna tra quelle proposte.

Consigli per la carta di credito

La carta di credito si usa sempre più spesso. Vincenzo Summa, esperto di *Altroconsumo* ti dà (1) .... consiglio utile.

In borsa. Tieni la tua carta di credito lontana (2) .... calamite e batterie di cellulari.

Nei negozi. (3) .... essere presente quando ti accreditano la somma sulla carta con la macchinetta elettronica. E firma la ricevuta solo (4) .... che hai controllato l'importo.

Su internet. Acquista solo su siti (5) .... hanno un numero di telefono, un indirizzo e il simbolo del lucchetto.

Email. Non rispondere mai (6) .... messaggi di posta elettronica che ti chiedono i dati (7) .... tua carta di credito.

In caso di furto. (8) .... subito il Servizio Clienti della tua carta di credito. Se il ladro ha fatto in (9) .... a usarla prima della tua segnalazione ti possono essere addebitati (10) .... massimo 150 euro.

(Confidenze)

	A	B	C
1	quale	qualche	quello
2	di	dalle	delle
3	Puoi	Vuoi	Devi
4	senza	dopo	prima
5	che	quali	chi
6	di	ai	agli
7	di	da	della
8	Chiama	Domanda	Richiedi
9	modo	orario	tempo
10	per	al	di

EDILINGUA

6 Completare il testo. Scegliere la parola opportuna tra quelle proposte.

Usare il computer

Imparare a usare il computer, anche in età avanzata, per navigare in Internet, aiuta a mantenere in forma più (1) .... lungo la memoria. Se poi questa "ginnastica mentale" si accompagna (2) .... a un po' di attività fisica, i risultati sono ancora migliori. (3) .... rivela una ricerca condotta dagli esperti della *Mayo Clinic di Rochester*, (4) .... Stati Uniti. Gli scienziati hanno (5) .... il comportamento di un gruppo di quasi mille persone tra i settanta (6) .... i novantadue anni alla ricerca di una relazione tra le (7) .... abitudini di vita e la prontezza mentale. Hanno così scoperto che (8) .... ha due passioni, sport e tecnologia, vede diminuire il rischio di (9) .... la propria prontezza mentale rispetto a chi conduce una (10) .... sedentaria e non usa il computer.

(*DIPIÙ*)

1	**A** a	**B** in	**C** di
2	**A** anche	**B** solo	**C** se
3	**A** Ci	**B** Vi	**C** Lo
4	**A** agli	**B** negli	**C** in
5	**A** studiato	**B** accompagnato	**C** interrogato
6	**A** o	**B** anche	**C** e
7	**A** loro	**B** nostre	**C** sue
8	**A** quale	**B** chi	**C** se
9	**A** annullare	**B** perdere	**C** cancellare
10	**A** vita	**B** storia	**C** salute

CELI 2

Weekend nella natura

A mezz'ora dal lago di Como, nella cornice del Parco Naturale Oglio Sud (1) .... trova la nostra Azienda Agrituri-
stica, completamente ristrutturata e dotata (2) ....ogni
confort. Le vicine città d'arte di Parma, Cremona, Brescia e
Verona, (3) .... rendono un comodo punto di partenza
(4) .... escursioni e visite. Lo stile curato, (5) .... ambienti semplici ma eleganti, fanno della nostra Azienda Agri-
turistica un luogo ideale per ricaricarsi alla scoperta della
natura e dei (6) .... colori. Il ristorante propone una cucina tipica, a base di carni bianche e (7) .... di stagione
di propria produzione, ponendo grande attenzione alla
(8) .... e alla leggerezza. Nella caratteristica veranda con
camino e ampie vetrate vengono (9) .... cene a tema con eventi particolari. La nostra Azienda offre
inoltre la (10) .... di scoprire diversi itinerari naturalistici, all'interno del Parco naturale, e di fare molte
passeggiate lungo il fiume Oglio.

(Donna Moderna)

1	**A** ci	**B** la	**C** si
2	**A** di	**B** con	**C** dei
3	**A** le	**B** lo	**C** la
4	**A** a	**B** con	**C** per
5	**A** gli	**B** i	**C** li
6	**A** loro	**B** suoi	**C** tuoi
7	**A** ricette	**B** paste	**C** verdure
8	**A** qualità	**B** quantità	**C** differenza
9	**A** fissate	**B** organizzate	**C** riservate
10	**A** sicurezza	**B** possibilità	**C** probabilità

8 Completare il testo. Scegliere la parola opportuna tra quelle proposte.

Mamme e part-time

Mamme felicemente in carriera, ma part-time: è la sintesi delle conclusioni a cui è arrivato un recente studio di un gruppo (1) .... ricercatori della University of North Carolina che (2) .... 10 anni hanno seguito 1300 donne alle prese con pannolini e pappe. A sorpresa è emerso che le mamme che (3) .... meglio i figli non sono le mamme casalinghe, (4) .... le lavoratrici part-time. A differenza delle neomamme che (5) .... a casa, le mamme lavoratrici riescono a trovare la giusta soddisfazione dal proprio lavoro senza, però, togliere troppo tempo (6) .... cura dei figli, come invece accade alle mamme (7) .... lavorano full-time e che quindi trascorrono molte ore fuori casa. Dallo studio è emerso che le lavoratrici part-time (8) .... interessano delle attività pomeridiane dei bambini – dai giochi ai compiti per casa – molto (9) .... delle lavoratrici full-time e trascorrono con i piccoli la (10) .... quantità di tempo delle mamme casalinghe, ma in modo qualitativamente migliore.

(*www.d.repubblica.it*)

1 Ⓐ dei   Ⓑ di   Ⓒ degli

2 Ⓐ per   Ⓑ in   Ⓒ a

3 Ⓐ guardano   Ⓑ seguono   Ⓒ capiscono

4 Ⓐ ma   Ⓑ e   Ⓒ però

5 Ⓐ riposano   Ⓑ vanno   Ⓒ rimangono

6 Ⓐ della   Ⓑ alla   Ⓒ dalla

7 Ⓐ che   Ⓑ quali   Ⓒ quelle

8 Ⓐ ci   Ⓑ si   Ⓒ vi

9 Ⓐ più   Ⓑ grande   Ⓒ maggiore

10 Ⓐ giusta   Ⓑ stessa   Ⓒ simile

9 Completare il testo. Scegliere la parola opportuna tra quelle proposte.

Proteggere la casa dai ladri

Qui ti indichiamo alcuni consigli utili per proteggere la tua casa (1) .... ladri.

Non dare l'impressione che in casa non c'è nessuno.

(2) .... stai via per un periodo lungo, chiedi a un vicino o a un amico di (3) .... ogni tanto a dare un'occhiata, bagnarti le piante, svuotare la cassetta della posta. Non lasciare bigliettini (4) .... porta dove c'è scritto che manchi. Cerca di conoscere i (5) .... vicini di casa e scambia i numeri di telefono in modo da contattarli in (6) .... di necessità. Non fare (7) .... agli estranei i tuoi programmi per le vacanze. Non tenere in casa grosse somme di danaro, gioielli o oggetti di valore. Ricorda che puoi custodirli in una cassetta di sicurezza (8) .... tua banca. Chiudi bene le finestre e le vetrate che danno sui terrazzi. Se vivi solo lascia (9) .... un messaggio sulla segreteria al plurale e non dire "Siamo assenti", ma solo "In questo momento non (10) .... rispondere".

(Intimità)

1	**A** dei	**B** da	**C** dai
2	**A** Ma	**B** Se	**C** E
3	**A** camminare	**B** passare	**C** trascorrere
4	**A** sulla	**B** su	**C** in
5	**A** tuoi	**B** suoi	**C** loro
6	**A** occasione	**B** opportunità	**C** caso
7	**A** imparare	**B** riconoscere	**C** sapere
8	**A** in	**B** nella	**C** alla
9	**A** sempre	**B** mai	**C** quasi
10	**A** riusciamo	**B** dobbiamo	**C** possiamo

10 Completare il testo. Scegliere la parola opportuna tra quelle proposte.

L'inverno è alle porte

L'inverno è ormai alle porte con il suo bagaglio di freddo, neve e malattie. Perché si sa, il cambio di (1) ...., e specialmente il passaggio dall'autunno all' (2) ...., è un momento delicato per l'organismo. La temperatura che si abbassa, la diminuzione (3) .... ore di luce... È proprio in questo periodo, dunque, che dobbiamo cercare di rinforzare le (4) .... difese naturali. Un valido aiuto viene da una corretta alimentazione. E allora quali sono i cibi (5) .... dobbiamo privilegiare? È vero che (6) .... inverno è necessario mangiare di più? E quali sono i piatti che, (7) ...., vanno evitati? Lo scopriamo (8) .... l'aiuto del professor Giorgio Calabrese, nutrizionista, che (9) .... regala preziosi consigli su (10) .... andare incontro nel migliore dei modi al grande freddo.

(*Intimità*)

1 **A** periodo   **B** mese   **C** stagione

2 **A** estate   **B** inverno   **C** umidità

3 **A** delle   **B** di   **C** dalle

4 **A** nostre   **B** vostre   **C** loro

5 **A** quali   **B** che   **C** cui

6 **A** nell'   **B** all'   **C** in

7 **A** infatti   **B** inoltre   **C** invece

8 **A** per   **B** con   **C** su

9 **A** ci   **B** ti   **C** vi

10 **A** come   **B** quanto   **C** dove

11 Completare il testo. Scegliere la parola opportuna tra quelle proposte.

Scambio di divano

Hai tanta voglia (1) .... viaggiare ma pochi soldi in tasca? *Rebel Trip* ha la soluzione ideale per te: uno scambio di divano (2) .... ti permetterà di dormire gratis e vedere il mondo.

Rebl Trip è il couchsurfing dell'Italia: una comunità di (3) .... che mette a disposizione un posto per (4) .... gratis per chi viaggia. Gli alloggi offerti da *Rebel Trip* non sono hotel (5) .... strutture turistiche ma case di amici e di persone ospitali. Lo scambio di divano è un (6) .... di viaggiare low cost che sta diventando sempre più famoso (7) .... tutto il mondo. *Rebel Trip* è un sito facile da consultare, basta iscriversi per (8) .... persone disposte a offrire un divano per dormire (9) .... dovere pagare. Se poi (10) .... anche un divano, un letto, una poltrona che vi avanza, potete metterlo a disposizione e proporre uno scambio di divano.

(*www.rebeltrip.com*)

1	**A** di	**B** da	**C** a
2	**A** cui	**B** che	**C** quale
3	**A** ospiti	**B** alberghi	**C** persone
4	**A** dormire	**B** restare	**C** vivere
5	**A** e	**B** o	**C** ma
6	**A** modo	**B** situazione	**C** forma
7	**A** in	**B** a	**C** per
8	**A** sapere	**B** trovare	**C** ricevere
9	**A** senza	**B** neanche	**C** neppure
10	**A** avevate	**B** avete avuto	**C** avete

12 Completare il testo. Scegliere la parola opportuna tra quelle proposte.

Prezzi super scontati

Il ritorno tra i banchi di scuola per (1) .... studenti è ormai alle porte e le famiglie, come ogni anno in (2) .... periodo, devono fare i conti con i prezzi dei libri di testo e del corredo (3) .... (zaini, quaderni, penne...). Questi prezzi possono essere ridotti (4) .... si acquista presso super-mercati e ipermercati. Le famiglie italiane (5) .... acquistare, grazie alle offerte promozionali, il corredo necessario per i (6) .... figli ad un prezzo medio di circa 110 euro. Molte catene di supermercati permettono di prenotare, sia online (7) .... nei vari supermercati e ipermercati, i libri di testo per le scuole medie inferiori e di trovare (8) .... scontati. Le famiglie (9) .... acquistano nei supermercati *Conad*, *Esselunga* e negli ipermercati *E.Leclerc* hanno sconti del 15% su tutti i libri acquistati. Nel caso di *Coop* e *Ipercoop* (10) .... sconti variano dal 10% per tutti i clienti fino al 15% per i soci *Coop*.

(*www.spesaduepuntozero.it*)

1	**A** tanti	**B** troppi	**C** differenti
2	**A** qualche	**B** questo	**C** quale
3	**A** sportivo	**B** scolastico	**C** invernale
4	**A** inoltre	**B** ma	**C** se
5	**A** vogliono	**B** devono	**C** possono
6	**A** nostri	**B** loro	**C** suoi
7	**A** sia	**B** né	**C** inoltre
8	**A** soldi	**B** conti	**C** prezzi
9	**A** chi	**B** quale	**C** che
10	**A** i	**B** gli	**C** le

13 Completare il testo. Scegliere la parola opportuna tra quelle proposte.

Scegliere il regalo giusto

Avete un amico sportivo e non sapete che regalo (1) ....? O dovete fare un regalo a fratelli (2) .... sorelle? Non fate un regalo a caso ma pensate a qual è la (3) .... passione sportiva e poi scegliete (4) .... esempio un capo di abbigliamento sportivo o un accessorio particolare (5) .... ancora non hanno. Comprate qualcosa che ha a che fare con lo sport che essi (6) ....
Scegliete un regalo particolare così da fare capire che lo avete scelto con (7) ....

Se prendete un prodotto di qualità, i soldi che avete (8) .... vi faranno fare una bella figura. Se proprio non avete (9) .... di cosa regalargli, acquistate una gift card ossia una carta regalo da spendere in un negozio di articoli sportivi. Così la persona (10) .... comprare ciò che desidera.

(www.consigli-regali.it)

1	**A** farlo	**B** fargli	**C** farle
2	**A** ma	**B** anche	**C** o
3	**A** tua	**B** sua	**C** loro
4	**A** per	**B** all'	**C** di
5	**A** chi	**B** che	**C** quale
6	**A** giocano	**B** praticano	**C** corrono
7	**A** voglia	**B** amore	**C** simpatia
8	**A** speso	**B** preso	**C** messo
9	**A** opinione	**B** intenzione	**C** idea
10	**A** ha potuto	**B** poteva	**C** potrà

14 Completare il testo. Scegliere la parola opportuna tra quelle proposte.

Cicloturismo

È una forma di turismo praticata (1) .... bicicletta, con le varianti "treno + bici" o con i tour organizzati da (2) .... Una bicicletta è una maniera di viaggiare particolarmente (3) ....
Questo tipo di turismo (4) .... permette di evitare il turismo di massa. I cicloturisti hanno (5) .... sempre molta sensibilità per l'ambiente, una grande (6) .... per la bicicletta come mezzo di trasporto, visitano luoghi sconosciuti al grande pubblico e amano l'avventura. (7) .... sono associazioni come la ECF (European Cyclists' Federation) che hanno progettato itinerari specifici per (8) .... sportivi intenzionati a fare questo tipo di vacanza.
Il cicloturismo (9) .... la possibilità di rilassarsi, di stare a contatto diretto con la natura, di viaggiare (10) .... e vedere panorami indimenticabili.

(*www.cicloturismo.it*)

1 **A** in **B** a **C** con

2 **A** viaggi **B** agenzie **C** compagnie

3 **A** leggera **B** economica **C** felice

4 **A** gli **B** mi **C** ti

5 **A** quasi **B** come **C** per

6 **A** vita **B** passione **C** attività

7 **A** Lì **B** Qui **C** Ci

8 **A** questi **B** quelli **C** gli

9 **A** permette **B** offre **C** passa

10 **A** calmo **B** tardi **C** lentamente

Preparazione al
CELI 2

15 Completare il testo. Scegliere la parola opportuna tra quelle proposte.

Spostarsi a Roma

Per i turisti il modo migliore (1) .... visitare Roma ammirando tutte le (2) .... bellezze storiche, monumentali e naturali è (3) .... i mezzi pubblici. I mezzi di trasporto come autobus, tram, filobus, mezzi elettrici rappresentano la soluzione ideale per (4) ...., anche durante lo spostamento, vuole gustarsi (5) .... spettacolo e i panorami offerti dalla capitale.

Le due linee metropolitane rappresentano la soluzione più (6) .... e confortevole per coprire lunghe distanze senza bloccarsi (7) .... traffico. Invece per chi visita Roma per motivi di (8) .... il servizio taxi garantisce un servizio eccellente. È (9) .... possibile fare una prenotazione telefonica o in Internet. Ora chi (10) .... può acquistare una o più corse taxi *da* e *per* gli aeroporti romani (Fiumicino/Ciampino) on line pagando con carta di credito direttamente dal pc.

(*www.hotellaurenziana.it*)

	A	B	C
1	per	a	da
2	tue	sue	loro
3	andare	prendere	salire
4	chi	che	cui
5	il	lo	uno
6	veloce	utile	necessaria
7	nel	al	in
8	lavoro	turismo	famiglia
9	quasi	inoltre	abbastanza
10	voleva	vuole	ha voluto

EDILINGUA

16 Completare il testo. Scegliere la parola opportuna tra quelle proposte.

Regalare un libro

Dovete regalare un libro ma non sapete cosa scegliere? (1) .... ad alcuni nostri collaboratori dei suggerimenti per i libri (2) .... regalare. Seguite i loro suggerimenti e tenete conto dei gusti dei (3) ....
amici e parenti che riceveranno il regalo.

Per l'amico o l'amica del cuore. Un libro (4) .... è considero perfetto è *Nessun luogo è lontano* di Richard Bach. Un libro che parla di amicizia e d'amore da leggere e da regalare a chi è lontano fisicamente, ma vicino nel cuore.

Per chi va (5) .... *all'estero.* Per gli adulti in partenza per (6) .... come Roma, Parigi, Londra, New York suggerisco i libri (7) .... Corrado Augias: *I segreti di Roma, I segreti di Parigi, I segreti di Londra, I segreti di New York.* (8) .... la possibilità di visitare tutte (9) .... quattro queste grandi città e i libri di Augias mi hanno insegnato (10) ...., facendomi respirare in anticipo le atmosfere che avrei trovato sul posto.

(www.sololibri.net)

1 **A** Abbiamo chiesto   **B** Chiedevamo   **C** Chiederemo

2 **A** di   **B** a   **C** da

3 **A** nostri   **B** vostri   **C** loro

4 **A** chi   **B** quello   **C** che

5 **A** mai   **B** quasi   **C** spesso

6 **A** capitali   **B** paesi   **C** villaggi

7 **A** per   **B** con   **C** di

8 **A** Avevo   **B** Ho avuto   **C** Ho

9 **A** le   **B** e   **C** la

10 **A** bene   **B** troppo   **C** tanto

17 **Completare il testo. Scegliere la parola opportuna tra quelle proposte.**

Milano

Milano è conosciuta a livello internazionale (1) .... una delle quattro capitali della moda insieme a Parigi, Londra e New York. A Milano (2) .... le nuove mode e le sue tendenze. Nel centro (3) .... città si trova il famoso quadrilatero della moda, un quartiere delimitato da quattro strade conosciute a livello internazionale: Via Monte Napoleone, Via Manzoni, Via della Spiga e Corso Venezia (4) .... si trovano le boutique delle più grandi (5) ....

italiane ed estere e anche le boutique dei più grandi marchi e stilisti di moda, sia italiani (6) .... stranieri. È qui che annualmente prende vita la famosissima settimana internazionale della moda (7) .... la fine del mese di settembre e l'inizio di ottobre. Questo evento (8) .... da sempre a Milano migliaia di acquirenti, la stampa delle maggiori TV nazionali e internazionali. Durante questa settimana è possibile (9) .... le modelle più conosciute e di fama internazionale. (10) .... sono organizzati numerosi appuntamenti mondani e di spettacolo che attirano migliaia di persone.

(www.milanofree.it)

1	**A** per	**B** come	**C** insieme
2	**A** iniziano	**B** escono	**C** partono
3	**A** di	**B** in	**C** della
4	**A** cui	**B** qui	**C** dove
5	**A** firme	**B** mode	**C** raccolte
6	**A** anche	**B** e	**C** che
7	**A** in	**B** tra	**C** per
8	**A** porta	**B** porterà	**C** portava
9	**A** frequentare	**B** incontrare	**C** guardare
10	**A** Inoltre	**B** Anche	**C** Ancora

18 Completare il testo. Scegliere la parola opportuna tra quelle proposte.

L'alimentazione nello studio

Una cosa importantissima per chi (1) ...., è una dieta equilibrata. Bisogna in particolare evitare pasti troppo (2) .... specialmente nei mesi caldi. (3) .... alimenti giusti favoriscono la memoria, la concentrazione e l'energia; in altre parole tutto (4) .... che è necessario per superare le prove scolastiche o universitarie. E allora vediamo insieme (5) .... consigli sulla dieta da seguire in periodo d'esami:

- (6) .... la dieta con pane, pasta, cereali, riso e fette biscottate;
- è (7) .... combattere il senso di fatica che si prova con il caldo e lo studio con piatti ricchi di cereali, frutta secca, fegato, latte e patate;
- prendiamo vitamina B6 perché aiuta (8) .... sconfiggere l'insonnia. L'insonnia è il più comune dei disturbi di chi studia. L'ansia delle (9) .... scritte e orali infatti non favorisce il sonno ma, al contrario, (10) .... disturba.

(www.donnamoderna.it)

1	**A** ha studiato	**B** studia	**C** studiava
2	**A** forti	**B** pesanti	**C** grossi
3	**A** Gli	**B** I	**C** Le
4	**A** quello	**B** questo	**C** quale
5	**A** qualche	**B** alcuni	**C** tutti
6	**A** aumentiamo	**B** arricchiamo	**C** cresciamo
7	**A** bene	**B** bello	**C** buono
8	**A** di	**B** a	**C** da
9	**A** lezioni	**B** esami	**C** prove
10	**A** lo	**B** la	**C** li

CELI 2

19 Completare il testo. Scegliere la parola opportuna tra quelle proposte.

Non ho dato ancora nessun esame

Sono (1) .... primo anno di Ingegneria Informatica e dell'Automazione e attualmente sono fermo; in un anno non (2) .... a dare nemmeno un esame. Sono molto demoralizzato, ho (3) .... di stare deludendo sia i miei amici che la mia famiglia. So che Ingegneria è una (4) .... facoltà più dure; ci sono dieci (5) .... all'anno e la cosa diventa ancora più pesante per una persona (6) .... viene da un liceo classico e sa poca matematica. Tra un mese (7) .... altri tre esami e sono a pezzi. Vorrei continuare ma (8) .... sento tanto stupido. Inoltre per me non è tanto facile studiare: sono in un appartamento con (9) .... tre persone e sono in una stanza doppia, (10) .... mi è difficile concentrarmi. Spero di trovare un posto tranquillo il prossimo anno, almeno quello...

(www.forum.studenti.it)

	A	**B**	**C**
1	nel	al	del
2	riuscivo	sono riuscito	riesco
3	paura	fretta	voglia
4	di	delle	tra
5	incontri	esami	classi
6	cui	quale	che
7	avrò	ho avuto	avevo
8	lo	ci	mi
9	tutte	queste	altre
10	che	dove	come

20 Completare il testo. Scegliere la parola opportuna tra quelle proposte.

Musica e giovani

La musica occupa una parte molto importante della
(1) .... vita; infatti è una delle passioni che i giovani
e (2) .... adolescenti di oggi sviluppano maggior-
mente. La musica è una parte di noi, ce l'abbiamo nel-
l'anima e (3) .... cuore.

La musica è semplice svago? Non esattamente. Per
noi giovani è tutto e accompagna molti (4) ....della
nostra giornata. La mattina mp3 e cuffiette alle orecchie
e via di corsa a scuola; la musica ci mette di (5) ....
umore e inoltre ci dà la carica per (6) .... le lezioni.
Non c'è un momento specifico (7) .... ascoltarla.
La musica (8) ...., diverte, fa sognare. Negli ultimi anni il motivo per cui il rapporto tra i giovani e la
musica (9) .... sempre più stretto, è che le canzoni del nostro tempo riflettono la (10) .... di tutti i
giorni con i suoi problemi e le sue gioie.

(www.scuola.repubblica.it)

1	**A** vostra	**B** nostra	**C** loro
2	**A** gli	**B** i	**C** l'
3	**A** in	**B** nel	**C** al
4	**A** periodi	**B** tempi	**C** momenti
5	**A** bell'	**B** buon	**C** grande
6	**A** prendere	**B** seguire	**C** studiare
7	**A** per	**B** a	**C** di
8	**A** preferisce	**B** piace	**C** ama
9	**A** diventava	**B** diventerà	**C** è diventato
10	**A** voglia	**B** vita	**C** speranza

Preparazione al
CELI 2

Completare le frasi con i pronomi opportuni.

1 Hanno cambiato casa e da allora non .... vediamo più.

2 Se vai a comprare i biglietti per il concerto .... prendi anche uno per me?

3 Non so perché si sono separati. Mirella non .... parla mai.

4 Appena arrivano chiamami, voglio venire a salutar.......................... .

5 Scusami, ma non .... ho detto per non farti soffrire.

6 Perché esci sempre con lui? Sai che non .... sopporto.

7 Dovevo prendere i libri da Giacomo e .... sono dimenticato!

8 Ragazzi, cosa .... pensate di questa proposta di lavoro?

9 Sono quelli i tuoi nuovi amici? Perché non .... presenti?

10 No, grazie, non ho bisogno di aiuto, ... riesco anche da solo.

11 Signora, ... scusi, posso prendere il giornale?

12 Mi ha chiesto la macchina ma non .... ho data perché non mi fido di lui.

13 Stia tranquillo, signore, ... telefonerò io stesso.

14 Non so cosa dire, io non .... capisco più niente.

15 Buongiorno signora, in che cosa posso esser.......................... utile?

16 Mamma, non abbiamo latte. Per favore puoi portar.......................... un po'?

17 Signor Massi, dove sta andando? Posso dar.......................... un passaggio?

EDILINGUA

18 Che buona questa torta! Ma cosa .... hai messo dentro?

19 So che Marisa ti vuole parlare. Perché non .... telefoni?

20 Ho telefonato ai miei genitori ma non .... ho detto niente dell'esame.

21 Nostro padre non .... vuole più sapere niente di questa storia.

22 Scusi, professore, ... posso chiedere un favore?

23 Gli abbiamo prestato molti soldi e ora non .... vuole più restituire.

24 Non ho più il cellulare. .... hanno rubato sull'autobus.

25 Se l'idraulico non ti dà la ricevuta, tu .... devi chiedere.

26 Questo dolce è buonissimo. .... posso avere ancora un po'?

27 Ragazzi, a che ora .... viene a prendere Alessandro?

28 Non riesco a trovare le chiavi della macchina. .... hai prese tu, per caso?

29 Sai, questo libro è veramente interessante. Se vuoi .... presto.

30 Non preoccuparti. Se Luisa ha bisogno di soldi .... presto io.

31 Mi scusi, signore, ... dispiacerebbe chiudere il finestrino?

32 Giorgio, non prendere la macchina! Oggi .... serve.

33 Papà, domenica ci porti al luna park, vero? .... hai promesso!

34 Se vado al supermercato, vuoi venir............................. anche tu?

35 Chissà come sta Alessandro, non .... vedo da molto tempo.

Preparazione al CELI 2

36 Mi dai il libro che .... ho prestato?

37 Luisa, ma cosa ti è successo? .... vuoi dire?

38 Ragazzi, ... parliamo questa sera, ora devo scappare.

39 Professore, ... presento mia figlia.

40 Scusatemi, ma non .... posso aspettare.

41 Se esci a comprare il pane, compra.................... un chilo.

42 Vuoi sapere quante paia di guanti ti ho portato? .... ho portati tre.

43 Quanto .... vuole da Roma a Milano in treno?

44 Questi sono i regali di Natale per Sandro e Giulio. .... porto domani.

45 Se .... dici per tempo, vengo a prenderti alla stazione.

46 Dottore, che .... dice di cenare con noi?

47 Scusatemi, ma non posso dir...................., è un segreto tra me e Paolo.

48 Professore, ... potrebbe spiegare di nuovo questa lezione?

49 Se vai a comprare i biglietti, compra.................... quattro.

50 Ti ho portato i libri, ecco.................... qui.

51 Marta, il giornale .... compro. D'accordo?

52 Se vai alla stazione a prendere Giovanna, aspettami! .... vengo anch'io.

53 Aiutami a fare questo esercizio, non .... riesco da sola.

54 Quanti bagni ci sono in questa casa? .... sono due.

55 Abbiamo chiesto a Rosario di perdonare Maria, ma non .... vuole più sapere di lei.

56 Sua madre le ha vietato di andare in discoteca, ma lei .... va di nascosto.

57 Ragazzi, ... volete sedere qui?

58 Se .... dici, Alba viene sicuramente con noi al cinema.

59 Quando il mio ragazzo è partito .... ha promesso di telefonarmi spesso.

60 I documenti .... ho spediti ieri.

61 Mario, vedo che hai molti libri. .... presti uno?

62 Non .... conosco, ma Giorgio mi ha parlato molto bene di lei.

63 Hai già comprato la frutta? .... hai comprata molta? Spero di no.

64 Quando Luigi stava con Cesira, ... telefonava ogni 5 minuti.

65 Oggi non mi serve l'auto, ... puoi prendere tu.

66 Abbiamo finito tutta la carne. .... prendi un chilo?

67 Nicoletta non .... vuole dire perché si vergogna di voi.

68 Se andiamo in piscina, ... venite anche voi?

69 Non le piace il mare, ... ha detto molte volte.

70 Maria mi ha detto che Roma è fantastica, ... vorrei andare per Natale.

1 Lei ha comprato una rivista di arredamento per la casa e dentro ha trovato un questionario. Decide così di compilarlo e di spedirlo alla rivista.

1 Quanto Le interessa il settore del design e dell'arredamento?
....

2 Di solito compra riviste di arredamento? Sì/no, perché?
....

3 Legge mai riviste di arredamento on line? Spieghi perché.
....

4 Qual è la stanza più importante della casa per Lei? Perché?
....

5 Le piace fare da solo/a lavoretti in casa (dipingere le pareti o altro...)? Spieghi che cosa.
....

6 Di solito cosa fa per arredare la casa? Chiama un architetto o fa tutto da solo?
....

7 Cambia spesso l'arredamento della Sua casa? Sì/no, perché?
....

8 Preferisce un arredamento moderno o classico? Perché?
....

9 Cosa rappresenta per Lei la sua casa?
....

2 Una famosa agenzia di viaggi della Sua città sta facendo un sondaggio sulle preferenze degli italiani relativamente ai viaggi low cost e Le consegna un questionario da compilare.

1 Viaggia spesso in aereo? Sì/no, perché?

....

2 In quali occasioni preferisce viaggiare in aereo?

....

3 Per i Suoi viaggi si rivolge ad agenzie di viaggi organizzati? Perché?

....

4 Cosa pensa delle offerte dei pacchetti di viaggio?

....

5 Cosa pensa dei voli low cost?

....

6 L'ultima volta che ha fatto un viaggio, ha scelto un volo low cost? Sì/no, perché?

....

7 Di solito preferisce viaggiare da solo/a o in compagnia? Perché?

....

8 Qual è stato il viaggio più bello che ha fatto? Spieghi in breve perché.

....

9 Qual è il posto dove Le piace particolarmente passare le vacanze? Perché?

....

CELI 2

3 Durante l'estate, Lei è stato/a 15 giorni in Italia dove ha fatto l'esperienza di una vacanza studio. Alla fine del corso di lingua la scuola Le chiede di compilare un questionario utile per un sondaggio.

1 Perché ha deciso di fare questa esperienza in Italia?
....

2 Prima di venire in Italia aveva già studiato l'italiano? Dove?
....

3 È rimasto soddisfatto/a dei nostri corsi? Spieghi perché.
....

4 Cosa pensa della città in cui si trova la scuola?
....

5 È rimasto soddisfatto/a dell'alloggio che Le ha trovato la scuola? Lo descriva.
....

6 Pensa di ritornare di nuovo la prossima estate? Perché?
....

7 Prima di venire cosa si aspettava di trovare?
....

8 Qual è la cosa che le è piaciuta di più in questa vacanza studio?
....

9 Secondo Lei, è importante imparare una lingua straniera? Spieghi perché.
....

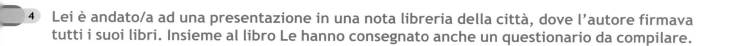

4 Lei è andato/a ad una presentazione in una nota libreria della città, dove l'autore firmava tutti i suoi libri. Insieme al libro Le hanno consegnato anche un questionario da compilare.

1 Che tipo di libri preferisce leggere?

....

2 Come ha saputo della presentazione di questo libro?

....

3 Per lei è importante sentire la presentazione dell'autore? Perché?

....

4 Di solito come sceglie il libro da leggere?

....

5 Qual è il momento della giornata in cui preferisce leggere? Perché?

....

6 Di solito prende libri in prestito dagli amici o preferisce comprarli? Perché?

....

7 Presta volentieri i Suoi libri? Sì/no, spieghi perché.

....

8 Qual è l'ultimo libro che ha letto e Le è piaciuto? Di cosa parla?

....

9 A chi regala di solito dei libri? Perché?

....

Preparazione al
CELI 2

5 Per le vacanze di Pasqua ha deciso di passare tre giorni in un'isola greca, in un albergo proprio di fronte al mare. In camera trova un questionario sulla qualità dei servizi e decide di compilarlo.

1 Perché ha scelto il nostro albergo per le Sue vacanze?

....

2 Qual è la cosa che ha reso più piacevole il Suo soggiorno nel nostro albergo?

....

3 Come giudica i nostri prezzi relativamente al servizio?

....

4 Consiglierebbe ad amici il nostro albergo? Perché?

....

5 Preferisce alloggiare in alberghi di lusso o in alberghetti tradizionali? Perché?

....

6 Di solito preferisce pranzare in albergo o fuori? Perché?

....

7 Qual è la cosa più importante che Lei desidera trovare in un albergo?

....

8 In genere preferisce alloggiare in un albergo al centro della città o fuori città? Perché?

....

9 Che suggerimenti potrebbe darci per migliorare ancora la qualità?

....

EDILINGUA

6 Lei si è iscritto/a da poco, come socio, presso l'Associazione *Amici nel mondo* che dà la possibilità di fare amicizia con giovani di varie nazionalità. L'Associazione sta facendo un sondaggio sull'importanza dell'amicizia e Le manda un questionario da compilare.

1 Come è venuto/a a conoscenza della nostra Associazione?

....

2 Perché ha deciso di iscriversi alla nostra Associazione?

....

3 Lei crede nel proverbio *Chi trova un amico trova un tesoro*? Perché?

....

4 Che significato ha per Lei la parola *amicizia*?

....

5 Secondo Lei ci sono età in cui è più facile fare amicizia?

....

6 In che occasione ha avuto la possibilità di farsi molti amici?

....

7 Cosa sarebbe disposto/a a fare per un amico?

....

8 Secondo Lei l'ambiente di lavoro dà la possibilità di fare amicizie? Perché?

....

9 Quali sono per Lei le caratteristiche che dovrebbe avere l'amico ideale?

....

Preparazione al
CELI 2

7 Lei è andato/a a fare la spesa in un nuovo supermercato che sta facendo una promozione dei nuovi prodotti e chiede ai clienti di compilare un questionario per un sondaggio.

1 Come è venuto/a a sapere dell'apertura del nostro negozio?

....

2 Come giudica i nostri prezzi?

....

3 Nella distribuzione dei prodotti sugli scaffali si è trovato/a più a Suo agio al pianoterra o al primo piano? Perché?

....

4 Ritiene che le marche che abbiamo portato nel nostro negozio possano soddisfare tutte le Sue esigenze? Perché?

....

5 Ci sono prodotti che non è riuscito/a a trovare? Cosa?

....

6 È rimasto/a contento/a dell'atteggiamento del nostro personale? Spieghi perché.

....

7 Facendo un confronto con altri supermercati della zona, che giudizio darebbe al nostro supermercato? Spieghi perché.

....

8 Pensa che ritornerà nel nostro supermercato? Perché?

....

9 Quale suggerimento potrebbe darci per migliorare?

....

EDILINGUA

8 Nel mese di ottobre si è festeggiata la *Giornata degli animali*. Gli amanti degli animali si sono incontrati in oltre 200 piazze italiane per festeggiare gli amici a quattro zampe! Con l'occasione, l'*Associazione amici degli animali* ha distribuito un questionario sui rapporti che l'uomo ha con gli animali.

1 Lei ha qualche animale in casa? Se sì, quale? Se no, perché?

....

2 Alcune persone preferiscono tenere in casa i gatti, altre i cani. E Lei? Spieghi perché.

....

3 Trova giusto che in alcuni alberghi non accettino cani? Spieghi perché.

....

4 Perché secondo Lei troviamo molti cani abbandonati?

....

5 Ha avuto, Lei o amici, qualche esperienza particolare con un animale? Racconti.

....

6 Lei terrebbe in casa un animale esotico, come per esempio un serpente? Spieghi perché.

....

7 Cosa pensa degli animali chiusi in gabbia negli zoo?

....

8 Se dovesse prendere un cane lo vorrebbe di razza o adotterebbe un cane abbandonato? Spieghi perché.

....

9 Lei pensa che agli anziani farebbe bene tenere un animale in casa? Spieghi perché.

....

Preparazione al
CELI 2

9 Lei è abbonato/a alla rivista *TV e spettacolo* e nell'ultimo numero ha trovato un questionario relativo a un sondaggio sulla TV e gli spettacoli televisivi. Decide di rispondere.

1 In che momenti della giornata guarda di solito la televisione? Perché?

....

2 Quali sono gli spettacoli televisivi che segue di più?

....

3 Pensa che la televisione possa avere effetti negativi sulle persone? Per quale motivo?

....

4 Secondo Lei, è giusto che i bambini passino molto tempo alla TV? Spieghi perché.

....

5 Ci sono programmi che Le piacciono poco? Che tipo?

....

6 Di solito guarda la TV in salotto o in un'altra stanza? Spieghi perché.

....

7 Preferisce guardare la TV da solo o in compagnia? Perché?

....

8 Le piace seguire i suoi programmi preferiti anche al pc o al tablet? Spieghi perché.

....

9 Le sarebbe piaciuto lavorare in televisione? Spieghi perché.

....

EDILINGUA

10 Un famoso quotidiano italiano sta facendo un sondaggio su come gli italiani passano il loro tempo libero. Lei decide di partecipare compilando il seguente questionario.

1 Lei ha molto o poco tempo libero? Perché?

....

2 Cosa Le piace fare nel tempo libero?

....

3 Preferisce andare al cinema o vedere lo stesso film in DVD? Spieghi perché.

....

4 Se ha soltanto 30 euro da spendere per una serata, cosa preferisce fare?

....

5 Si può trovare il modo di passare il tempo libero senza spendere soldi? Come?

....

6 Nel tempo libero segue, o Le piacerebbe seguire, qualche corso? Quale?

....

7 Quando si incontra con i suoi amici, cosa fa di solito?

....

8 Le capita mai di annoiarsi nel tempo libero? Perché?

....

9 Di solito frequenta musei o gallerie d'arte? Spieghi perché.

....

11 Lei ha partecipato alla giornata *Uno sport per tutti* organizzata dal centro sportivo *CS Fitness*. All'uscita Le chiedono di compilare il seguente questionario per un sondaggio.

1 Come ha saputo della nostra iniziativa di oggi?
....

2 Che attività lavorativa svolge?
....

3 Lei fa una vita molto sedentaria? Spieghi perché.
....

4 Ha tempo per lo sport? Sì/no, perché?
....

5 Per quale tipo di sport è più portato/a?
....

6 Dove preferisce fare sport?
....

7 Per quale motivo vorrebbe iniziare a fare sport?
....

8 Cosa pensa del nostro centro sportivo?
....

9 Il costo annuale dell'iscrizione al nostro centro è di 400 euro a persona e di 650 euro per due persone della famiglia. Cosa pensa dei nostri prezzi?
....

12 Lei è uno studente di liceo ed è andato a visitare con la scuola la mostra *Dal cartaceo al digitale*. All'uscita Le è stato chiesto di rispondere al seguente questionario.

1 Come è venuto a sapere di questa mostra?

....

2 Lei ama leggere on line? Sì/no, perché?

....

3 Cosa legge di solito on line?

....

4 Cosa pensa dei libri e giornali digitali?

....

5 Riuscirebbe a studiare su un libro digitale? Spieghi perché.

....

6 Svolge tutti i Suoi compiti al computer? Sì/no, perché?

....

7 Per cercare maggiori informazioni, fa ricerca on line o utilizza ancora le enciclopedie cartacee?

....

8 In molte scuole sono arrivati gli e-book, ossia libri digitali. E nella Sua scuola?

....

9 Pensa che la Sua scuola dovrebbe investire di più nella tecnologia digitale? Sì/no, perché?

....

13 Lei ha partecipato alla fiera del turista di Milano e Le hanno chiesto gentilmente di compilare un questionario sullo scambio del divano, un programma che permette di ospitare ed essere ospitati senza pagare l'alloggio.

1 Come ha saputo dell'iniziativa sullo scambio del divano?

....

2 Dove alloggia di solito quando viaggia e quanto spende in media?

....

3 Quanto è disposto a pagare per l'alloggio quando viaggia?

....

4 Le piacerebbe partecipare allo scambio del divano? Sì/no, perché?

....

5 Con lo scambio del divano si deve dividere la casa, il bagno e la cucina con persone che non si conoscono. Cosa ne pensa?

....

6 Quali posti vorrebbe visitare viaggiando in questo modo?

....

7 Chi partecipa allo scambio del divano deve mettere anche a disposizione la sua casa. Descriva la Sua abitazione.

....

8 C'è qualcosa che vorrebbe chiedere prima di aderire all'iniziativa? Cosa?

....

9 Conosce qualcuno che ha fatto questa esperienza? Cosa Le ha raccontato?

....

EDILINGUA

14 Lei ha partecipato alla domenica ecologica di Perugia. Uno dei volontari Le ha chiesto di rispondere al seguente questionario *Spostarsi in città*.

1 Quante automobili ci sono nella Sua famiglia e quali? Avete altri mezzi di trasporto?

....

2 Quale mezzo considera più veloce per i Suoi spostamenti? Spieghi perché.

....

3 Ci sono casi in cui usa esclusivamente l'auto? Quando e perché?

....

4 Lei o Suo padre/Sua madre trasporta altre persone con l'auto? Sì/no, perché?

....

5 Quanto spende Lei o la Sua famiglia al mese di carburante per l'auto?

....

6 Ha mai pensato di usare esclusivamente i mezzi di trasporto pubblici? Spieghi perché.

....

7 Ci sono alcuni motivi per cui preferirebbe non usare i mezzi pubblici? Spieghi perché.

....

8 Cosa pensa del programma *car sharing,* un modo per condividere la Sua auto con altre persone?

....

9 Nella zona in cui vive ci si può spostare con sicurezza in bicicletta? Sì/no, perché?

....

Preparazione al
CELI 2

---

15 Un gruppo di studenti al primo anno della facoltà di Psicologia della Comunicazione sta facendo un sondaggio su Internet. Le hanno gentilmente chiesto di rispondere al seguente questionario.

1 Lei ha una connessione Internet a casa? Sì/no, perché?

....

2 Da quali altri posti si può collegare a Internet?

....

3 Lei pensa di passare troppe ore in Internet? Spieghi perché.

....

4 Per quale motivo naviga in Internet?

....

5 Ha qualche sito preferito? Quale? E perché lo preferisce?

....

6 Definisca il ruolo di Internet nella sua vita.

....

7 Potrebbe immaginare la Sua vita senza Internet? Sì/no, perché?

....

8 Lei è iscritto a qualche social network? Sì/no, perché?

....

9 Ci sono alcuni motivi per cui Lei considera Internet pericoloso nella vita delle persone?

....

EDILINGUA

16 Lei ha fatto spese in un nuovo outlet alla periferia di Roma. All'uscita Le hanno chiesto di rispondere a un questionario sulla moda e i capi firmati.

1 Come Le piace vestire?

....

2 Le piacciono i vestiti firmati? Sì/no, perché?

....

3 Ci sono occasioni in cui acquista vestiti non firmati? Quando?

....

4 Secondo Lei c'è differenza tra vestiti firmati e non? Quale?

....

5 Lei veste sempre all'ultima moda? Sì/no, perché?

....

6 Dove acquista di solito vestiti e accessori?

....

7 Lei si veste per piacere agli altri o a se stesso/a? Spieghi perché.

....

8 Che genere di vestiti portano i suoi amici o colleghi?

....

9 Cosa pensa di chi ama esporre continuamente la firma dei suoi abiti/accessori?

....

CELI 2

17 *Musica è vita* è il nome di un'Associazione di studenti del Liceo musicale di Lucca. Lei ha partecipato a uno dei loro concerti e all'uscita Le hanno chiesto di rispondere al seguente questionario.

1 Che tipo di musica ascolta?

....

2 Quando, dove e come ascolta la Sua musica?

....

3 Come si informa sulle nuove uscite musicali?

....

4 Lei scarica musica da Internet? Sì/no, perché?

....

5 Dove compra CD o collezioni musicali? E quanto spende al mese per la musica?

....

6 Lei è abituato ad ascoltare musica mentre fa altre cose? Faccia un esempio.

....

7 Che ruolo ha la musica nella Sua vita?

....

8 Cosa è più importante per Lei: la musica o i testi che l'accompagnano? Spieghi il perché.

....

9 Ci sono sufficienti eventi musicali nella Sua città? E di che genere?

....

18 Lei insegna in un Liceo classico e gli studenti Le hanno chiesto di rispondere al seguente questionario. "Con o senza cellulare? La telefonia mobile ha cambiato la nostra vita e noi, un gruppo di ragazzi del progetto *Cellulare sì, Dipendenza no*, stiamo conducendo un sondaggio sulla nostra vita e i cellulari".

1 Da quanti anni ha il cellulare?

....

2 Ha speso molti soldi per acquistare il Suo cellulare? Sì/no, perché?

....

3 Lei ha un contratto con una compagnia di telefonia mobile o preferisce la ricarica? Spieghi perché.

....

4 Per cosa usa il Suo cellulare?

....

5 Pensa di sprecare troppo tempo al cellulare? Spieghi perché.

....

6 I giovani preferiscono gli sms. E Lei? Spieghi perché.

....

7 In quali luoghi pubblici è vietato l'uso del cellulare nel Suo Paese? La gente rispetta questo divieto?

....

8 Le è mai capitato di avere dimenticato il suo cellulare e di averne bisogno? Descriva brevemente.

....

9 Può immaginare la Sua vita senza cellulare? Spieghi perché.

....

Preparazione al
CELI 2

19 *Associazione di Volontariato cerca persone di tutte le età interessate a dedicarsi a una delle varie attività del nostro gruppo. Unitevi a noi per un primo incontro informativo a Palazzo Grassi, giovedì 20 settembre alle ore 18.* Lei è andato/a a questo primo appuntamento e alla fine dell'incontro Le hanno chiesto di rispondere al seguente questionario.

1 Come ha saputo della nostra iniziativa di oggi?

....

2 Ha mai fatto volontariato prima? Sì/no, perché?

....

3 Perché ha deciso di venire qui oggi?

....

4 In che settore preferirebbe fare volontariato? Spieghi perché.

....

5 Quanto del Suo tempo può dedicare all'attività di volontariato?

....

6 Pensa che il Suo carattere Le permetta di dedicarsi a quest'attività? Sì/no, perché?

....

7 Quanto considera utili le attività di volontariato? Spieghi perché.

....

8 Conosce altre persone che fanno volontariato? Per quale associazione?

....

9 Secondo Lei cosa spinge la gente a fare volontariato?

....

20 Passeggiando per il centro della Sua città si è fermato davanti a un chiosco che dava informazioni sulle città sostenibili e le città verdi. Le hanno dato alcuni depliant informativi e Le hanno chiesto di rispondere al questionario *Città e qualità della vita*.

1 In quale zona della città vive?

....

2 Com'è il quartiere in cui vive? Lo descriva.

....

3 Lei vive in una casa di Sua proprietà? Che tipo di abitazione è?

....

4 È soddisfatto della casa in cui vive? Perché?

....

5 Com'è la qualità della vita nella sua città?

....

6 Cosa fa il Comune della Sua città per mantenere la città pulita? Descriva brevemente.

....

7 Quali servizi offre la Sua città per i cittadini?

....

8 Vorrebbe cambiare qualcosa nella città o nel quartiere in cui vive? Cosa e perché?

....

9 Ha mai pensato di cambiare città o quartiere? Perché? E dove andrebbe?

....

(usare circa 50 parole)

Testo 1 La Sua cagnolina, un bellissimo meticcio, ha partorito 5 tenerissimi cuccioli. Siccome non potrà tenerli tutti, deve mettere un annuncio sul giornale per trovare loro una casa.

Nell'annuncio
- fa una descrizione dei cuccioli
- dà informazioni su come arrivare a casa Sua
- dà indicazioni su come e quando contattarLa

Testo 2 Il prossimo mese si trasferirà in un'altra città dove rimarrà alcuni anni per motivi di studio. Con l'occasione ha affittato un piccolo appartamento che ora deve arredare. Sul giornale *Secondamano* ha trovato un annuncio in cui si vendono molti mobili usati. Decide così di rispondere all'annuncio.

Nella lettera
- fa una Sua breve presentazione
- elenca i mobili che Le interessano
- si informa sulle modalità di pagamento

Testo 3 Lei ha deciso di fare un lungo viaggio in giro per l'Europa così, per raccogliere un po' di soldi, decide di mettere un annuncio sul giornale per vendere la sua motocicletta.

Nell'annuncio
- descrive la sua motocicletta
- dà informazioni sul prezzo
- indica le modalità di pagamento
- spiega dove ritirare la motocicletta

Testo 4 Lei vuole organizzare un bazar natalizio e cerca persone interessate ad aiutarLa. Decide di mettere un annuncio nella bacheca del comune della Sua città.

Nell'annuncio
- si presenta brevemente
- descrive le ragioni per cui vuole organizzare questo bazar
- chiede la collaborazione di persone con esperienza

sto 5 Lei è interessato/a a comprare una macchina usata e trova interessante questo annuncio.

Vendo Nissan Micra, motore in perfette condizioni, batteria e freni nuovi ancora in garanzia, interni in ottimo stato, nessun problema meccanico. Usata negli ultimi 3/4 anni come terza macchina, vendo solo per cambiate necessità familiari. Chilometri: 160.000. Prezzo: 2.300 €.

Risponde all'annuncio
- chiede informazioni sull'auto
- chiede informazioni su eventuali incidenti del passato
- domanda se ci sono agevolazioni per il pagamento

sto 6 Lei è interessato/a a seguire un corso di russo. In una libreria trova questo annuncio e decide di rispondere.

Il *CdS* organizza corsi di russo base in promozione limitata. I corsi sono rivolti a chi desidera migliorare la propria conoscenza di base o apprendere una nuova lingua sia per diletto personale che per fini lavorativi. Inizio del corso: 8 gennaio.

Nella lettera
- si presenta brevemente
- spiega perché è interessato/a a frequentare un corso di russo
- chiede informazioni relativamente al costo del corso e ai giorni fissati per la lezione

to 7 Lei sta cercando un appartamento al centro di Roma per tutto il periodo dei suoi studi universitari. Navigando in Internet trova questo annuncio al quale vuole rispondere.

Roma - Delizioso monolocale in ottimo stato e ben arredato con cucina e bagno. Pregevole soffitto in legno a vista, ristrutturato.

Nella risposta
- si presenta brevemente
- spiega perché ha intenzione di prendere in affitto l'appartamento
- chiede altre informazioni relative all'appartamento

 Testo 8 Lei ha deciso di fare un lungo viaggio in macchina in giro per l'Europa insieme a due suoi amici. Per diminuire le spese sta cercando un terzo compagno di viaggio. Vuole mettere quindi un annuncio su Internet.

Nell'annuncio

- presenta brevemente Lei e i suoi amici
- spiega perché sta cercando un compagno di viaggio
- indica il tipo di compagno di viaggio desiderato
- lascia un recapito per essere contattato/a

 Testo 9 Poiché deve lasciare il suo appartamento e trasferirsi in uno più piccolo, ha deciso di vendere la sua enciclopedia per ragazzi, dato che è troppo voluminosa. Mette perciò un annuncio su Internet.

Nell'annuncio

- descrive la Sua enciclopedia
- spiega perché può essere utile a un ragazzo
- spiega i motivi che La spingono a venderla
- indica il prezzo e le modalità di pagamento

Testo 10 Navigando in Internet ha trovato questo annuncio e decide di scrivere per avere delle informazioni.

Corsi professionali. Scegli la tua professione. Impara il mestiere con NOlab! NOlab *organizza corsi professionali di cucina, di fotografia, di make up e di sartoria a Milano, Bologna e Vercelli a stretto contatto con i professionisti del settore.*

Nella lettera

- si presenta brevemente
- indica il corso che Le interessa
- spiega perché Le interessa seguire questo tipo di corso
- chiede ulteriori informazioni (relativamente al costo, alla durata ecc.)

Testo 11 Per guadagnare un po' di soldi e pagare il mutuo della Sua nuova casa, decide di prendersi cura degli animali dal momento che li ama tanto. Pubblica un annuncio sul giornale locale.

Nell'annuncio

- si presenta brevemente
- dichiara la sua disponibilità a custodire cani o gatti
- descrive l'ambiente in cui può ospitare gli animali
- dà informazioni sul costo e lascia il Suo recapito

12 Suo figlio a scuola sta andando piuttosto male in Matematica e per questo Lei sta cercando un professore per fare alcune lezioni private. Su una rivista trova questo annuncio e decide di scrivere per avere ulteriori informazioni.

Ingegnere, ex tutor e insegnante di matematica presso Istituti privati, effettua ripetizioni di matematica a studenti del Liceo Scientifico o delle scuole medie di Ancona. Prezzo: 15 euro l'ora per singolo studente. Oppure 20 euro complessivi per lezione di gruppo.

Nella lettera
- si presenta brevemente
- presenta brevemente Suo figlio e spiega qual è il suo problema
- chiede informazioni relativamente alle lezioni di gruppo

13 Lei è interessato/a a partecipare ad attività di volontariato e trova molto interessante il seguente annuncio:

Associazione Animali di Ferrara cerca volontari per il centro di accoglienza di Via Collodi, 3. I candidati ideali devono avere esperienza con gli animali domestici e disponibilità nei giorni festivi e nel periodo estivo. Contattare Sandro Fermi all'indirizzo mail: *animassoc@yahoo.it*

Nella lettera
- si presenta brevemente
- conferma la propria esperienza con gli animali
- chiede informazioni sul tipo di attività da svolgere
- dà la propria disponibilità come volontario

14 Lei è stanco/a di fare sempre le vacanze nella sua casa al mare e decide di mettere un annuncio su Internet per affittarla.

Nell'annuncio
- dice dove si trova la casa
- descrive com'è la Sua casa
- indica i periodi in cui è disponibile e il prezzo dell'affitto
- lascia un recapito per essere contattato/a

Testo 15 Lei ha letto questo annuncio su Facebook e lo ha trovato molto interessante.

Ciao, mi chiamo Nicoletta sono italo-inglese e sono professoressa di inglese. Impartisco lezioni private di lingua inglese a tutti i livelli, on line su Skype. Prezzi buoni, risultati garantiti e massima serietà. Per ulteriori informazioni scrivere a *nic@tiscali.it*

Nella lettera

■ si presenta brevemente
■ spiega i motivi per cui vuole imparare l'inglese
■ si informa sul modo in cui si svolgono le lezioni
■ richiede informazioni sugli orari e sui prezzi

Testo 16 Lei è una di quelle persone che ama riciclare tutto e non butta via mai niente. Navigando in Internet trova questo annuncio molto interessante.

Mi chiamo Matteo e cerco persone serie e interessate a vendere oggetti di seconda mano appartenenti a una delle seguenti categorie: abbigliamento, attrezzature sportive, accessori, libri, musica e film. Iscrivetevi al sito *www.matteo2amano.it* pagando una quota di 5 euro annuale. Spedite il vostro annuncio a *matteo2amano@googlr.com* e io provvederò a inserirlo nel sito.

Nell'annuncio

■ descrive l'oggetto/gli oggetti che vuole vendere
■ dà informazioni sul prezzo
■ indica le modalità di pagamento
■ spiega le modalità di spedizione

Testo 17 Lei cerca un lavoro part-time per il fine settimana e trova interessante questo annuncio pubblicato sul giornale.

Cerchiamo ragazzi/ragazze per pubblicizzare offerte promozionali nel Centro Commerciale di Foligno. Si richiede esperienza nel campo, bella presenza, conoscenza di due lingue straniere e disponibilità nei fine settimana. Per colloquio scrivere a Patrizia Cucco - email:*ccf@google.com*

Nella risposta

■ si presenta brevemente
■ descrive le Sue esperienze di lavoro
■ richiede informazioni sugli orari di lavoro
■ richiede un colloquio di lavoro e lascia un recapito

18 Lei cerca un lavoro part-time per pagare le Sue spese settimanali. Nella bacheca dell'università legge questo annuncio e lo trova molto interessante.

Cerco studente/essa univeristario/a che possa tenere compagnia a un'anziana signora durante il fine settimana. Richiediamo massima serietà, offriamo un ambiente di lavoro rispettabile e assicurazione sul lavoro. Contattare Anna Gigli all'indirizzo mail *agigli@yhaoo.it*

Nella risposta

- si presenta brevemente
- chiede informazioni sulla persona da accudire
- chiede informazioni sugli orari di lavoro
- chiede informazioni sulla retribuzione

19 Nel liceo linguistico in cui studia, è stato scritto questo annuncio in bacheca e lo trova interessante.

Sono Giulio Porti, il presidente del Club di *Lingue&Culture* del liceo linguistico Giovanni Falcone. Il 26 settembre vogliamo ricordare il giorno delle Lingue Europee e stiamo organizzando uno spettacolo di danze e musica che rappresenti le varie culture e lingue europee. Cerchiamo nuovi talenti e se anche voi volete partecipare allo show, chiedete un'audizione scrivendo a *giulioporti@istruzione.it*

Nella lettera

- si presenta brevemente
- dà la sua disponbilità
- dichiara cosa sa fare
- chiede un appuntamento per l'audizione

20 Lei deve partire per il programma Erasmus con destinazione Amsterdam e cerca informazioni da parte di altri studenti che hanno già fatto questa esperienza. Mette perciò questo annuncio nella bacheca universitaria.

Nell'annuncio

- si presenta brevemente
- chiede informazioni sull'università
- chiede informazioni sulla vita universitaria
- chiede informazioni sull'alloggio

Prova di Produzione di Testi Scritti

Preparazione al
CELI 2

(usare da 90 a 100 parole)

Testo 1 Finalmente è arrivato il giorno della Sua laurea e così la fatica dello studio è finita! Dopo la cerimonia di laurea decide di scrivere una lettera ad un/una Suo/a amico/a.

Nella lettera

- informa l'amico/a della notizia
- manifesta la propria gioia
- racconta quali sono i Suoi progetti futuri
- incoraggia l'amico/a a finire presto i suoi studi

Testo 2 Durante un Suo soggiorno a Firenze di circa tre mesi con un programma Erasmus, scrive una lettera a un Suo amico.

Nella lettera

- descrive come si trova a Firenze
- descrive l'atteggiamento della gente nei Suoi confronti
- parla di questa Sua esperienza

Testo 3 Sua figlia ha deciso di sposarsi in una piccola isola delle Cicladi e ha deciso di invitare solo gli amici più cari. Manda quindi un'email a ogni amico che conosce Sua figlia sin da piccola.

Nella lettera

- annuncia questo lieto evento
- spiega perché ci tenete alla loro presenza
- sottolinea che saranno vostri ospiti
- chiede di avere una risposta per potersi organizzare

Testo 4 Lei ha trovato una casa per le vacanze a un prezzo d'occasione. La casa è molto grande, ha quattro camere da letto, perciò scrive a una coppia di amici per proporre loro di affittarla insieme in modo da dividere le spese.

Nella lettera

- descrive com'è la casa
- descrive la zona in cui si trova la casa
- spiega perché considera un'occasione affittare questa casa
- invita i suoi amici ad accettare l'offerta di prendere la casa insieme

EDILINGUA

5 Dopo molti anni Lei ha deciso di andare a passare le vacanze di Natale da Suo fratello, che vive all'estero. Ha avuto così l'occasione di conoscere anche i suoi due figli, due gemellini di cinque anni. Al ritorno dal viaggio scrive un'email a un amico / un'amica.

Nella lettera
- descrive la casa di Suo fratello
- descrive come sono i Suoi nipotini
- racconta come ha passato le vacanze

6 Per motivi di lavoro si è trasferito/a all'estero dove rimarrà per circa tre anni. Dopo alcuni mesi scrive una lettera a un caro amico.

Nella lettera
- parla del suo nuovo lavoro
- descrive la città in cui si trova
- invita l'amico a casa Sua per le vacanze estive

7 Alcune sere fa ha visto uno spettacolo teatrale molto interessante. Scrive un'email a Sua sorella.

Nell'email
- parla dello spettacolo che ha visto
- spiega con chi ci è andata
- Le consiglia di andare a vedere lo spettacolo

8 Lei ha ricevuto un'offerta di lavoro interessante ma è molto indeciso/a. Scrive per questo a una Sua cara amica per chiederle un parere.

Nella lettera
- spiega il lavoro che Le hanno proposto
- spiega perché si sente indecisa
- chiede all'amica un consiglio

Preparazione al
CELI 2

Testo 9

La prossima domenica si sposerà la Sua migliore amica ma Lei purtroppo non potrà andare al matrimonio per impegni improvvisi.
Scrive una lettera per scusarsi.

Nella lettera
- spiega i motivi per cui non potrà essere presente
- parla di quanto Le dispiace questo fatto
- promette all'amica di andarla a trovare

Testo 10

Lei è appena tornato/a da una gita all'estero che ha fatto con la scuola. Decide di scrivere una lettera a un caro amico in Italia per parlargli di questo viaggio.

Nella lettera
- racconta dov'è andato/a in gita
- spiega con chi era in viaggio
- descrive ciò che ha fatto
- spiega perché la gita Le è piaciuta molto

Testo 11

Lei ha conosciuto una nuova persona di cui si è innamorato/a e decide di scrivere una lettera al suo migliore amico.

Nella lettera
- racconta come e dove è successo
- descrive la persona di cui è innamorato/a
- dice perché lui/lei Le piace tanto
- invita l'amico a conoscere questa persona

EDILINGUA

12 Lei deve partire per un viaggio con la Sua famiglia e decide di scrivere ad un Suo amico per chiedergli di poter stare con Suo nonno e fargli compagnia per qualche giorno.

Nella lettera
- spiega i motivi per cui ha bisogno del suo aiuto
- dice quanti giorni mancherà
- parla di Suo nonno e delle sue abitudini
- dà il recapito di Suo nonno

13 Lei ha acquistato la Sua prima auto e ne è felicissimo/a. Decide di scrivere una lettera ad una Sua amica di Milano.

Nella lettera
- parla del Suo nuovo acquisto
- descrive l'auto
- dice quanto Le è costata
- la invita a fare un viaggio insieme

14 Lei ha deciso di cancellarsi da Facebook e decide di scrivere una lettera comune a tutti i Suoi amici per annunciarglielo.

Nella lettera
- annuncia la Sua decisione
- parla dei motivi per cui si è cancellato/a da Facebook
- ringrazia tutti gli amici per i bei momenti passati in rete
- lascia la Sua nuova email per essere contattato/a

 Testo 15 Lei vorrebbe partire per il weekend con i Suoi amici ma nessuno di voi ha l'auto. Decide di scrivere una lettera a Sua sorella che abita a Perugia per chiederle la sua auto.

Nella lettera

- spiega i motivi per cui ha bisogno del suo aiuto
- dice per quanti giorni Le occorre l'auto
- chiede a Sua sorella di unirsi a voi
- le chiede di rispondere al più presto

 Testo 16 Lei doveva andare a Roma a trovare la Sua migliore amica durante il periodo di Natale ma all'improvviso si è ammalato/a e non ci può andare. Anche se le ha già telefonato, ha deciso di scriverle ugualmente una lettera.

Nella lettera

- spiega i motivi per cui non può partire
- dice quanto Le dispiace non poterci andare
- promette che andrà a trovarla presto
- Le fa gli auguri per le feste

 Testo 17 Una Sua amica le ha chiesto informazioni sull'albergo in cui lei ha alloggiato a Napoli. Decide di scriverle una lettera.

Nella lettera

- spiega in quale albergo è stata
- descrive l'albergo e i servizi offerti
- le comunica il prezzo dell'albergo
- le suggerisce di prenotare on line e le augura buon viaggio

EDILINGUA

18 La Sua migliore amica non è potuta venire con Lei in viaggio in Italia. Al ritorno le scrive una lettera per raccontarle questa esperienza e spedirle alcune foto.

Nella lettera

■ spiega quanto le è mancata
■ descrive i posti che ha visitato
■ le racconta le difficoltà che ha incontrato con la lingua
■ le descrive le due foto delle vacanze che le invia

19 Lei studia a Milano ed ha affittato un appartamento con altri studenti ma vorrebbe cambiare casa. Scrive una lettera a Sua madre per chiederle il suo aiuto.

Nella lettera

■ spiega cosa non Le piace della casa
■ spiega cosa non Le piace dei suoi compagni
■ le descrive un'altra casa che ha visto
■ chiede il suo aiuto economico

20 Lei è partita per un'isola dell'Egeo e aspetta lì il Suo ragazzo / la Sua ragazza. L'albergo e l'isola in cui si trova però non Le piacciono per niente. Decide di scrivere una lettera per dirgli/dirle di non raggiungerLa.

Nella lettera

■ spiega cosa non Le piace dell'isola
■ spiega cosa non Le piace dell'albergo
■ suggerisce di incontrare il Suo ragazzo/la Sua ragazza in un'altra isola
■ gli dà un appuntamento

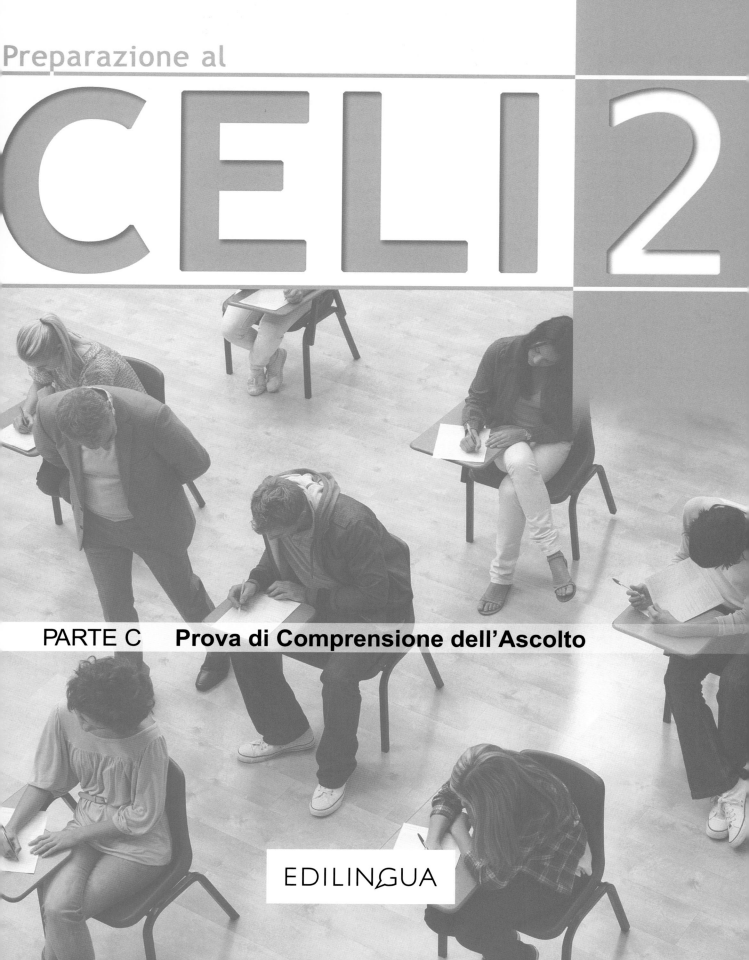

Preparazione al CELI 2

PARTE C   Prova di Comprensione dell'Ascolto

EDILINGUA

 1. Ascoltate i messaggi da 1 a 4 e indicate la risposta corretta. Ascolterete i testi due volte.

1 L'annuncio informa che lunedì 7 novembre a Venezia

- [a] ci saranno disagi in aeroporto
- [b] è possibile partire solo la sera
- [c] non ci saranno voli causa sciopero

2 L'annuncio informa che la corsa Messina Catania del lunedì

- [a] partirà alle 4:30
- [b] partirà alle 9:15
- [c] avrà un nuovo orario

3 L'annuncio informa i passeggeri che

- [a] il treno arriverà in ritardo
- [b] ci sono dei problemi sui binari
- [c] il treno arriva su un altro binario

4 La boutique della nave oggi

- [a] chiuderà alle ore 20
- [b] ha un'offerta speciale
- [c] offre a tutti uno sconto del 20%

2. Ascoltate i messaggi da 1 a 4 e indicate la risposta corretta. Ascolterete i testi due volte.

1 Il messaggio sulla segreteria informa che

   a si può anche inviare un fax o un'e-mail

   b gli uffici saranno chiusi fino al 19 del mese

   c per gli appuntamenti bisogna chiamare alle 16.00

2 La persona lascia un messaggio a Sandra

   a per avere sue notizie

   b perché è preoccupata

   c per ricordarle qualcosa

3 Lo scopo del messaggio è di

   a avvisare dell'orario della consegna

   b pregare la signora di telefonare alla ditta

   c informare di alcuni problemi per la consegna

4 Il signore telefona al veterinario per

   a una visita urgente

   b rimandare una visita

   c fissare un appuntamento

 3. Ascoltate i messaggi da 1 a 4 e indicate la risposta corretta. Ascolterete i testi due volte.

1 Questa è la pubblicità di

   a un itinerario turistico

   b una nuova automobile

   c un elettrodomestico

2 Il testo è la pubblicità di

   a un prodotto di bellezza

   b un prodotto per la casa

   c una rivista femminile

3 Questa è la pubblicità di

   a un film

   b un libro

   c una rivista

4 Il testo si rivolge a

   a clienti raffinati

   b chi ama fare sport

   c famiglie numerose

4. Ascoltate i messaggi da 1 a 4 e indicate la risposta corretta. Ascolterete i testi due volte.

1 Questa è la pubblicità di

  a un detersivo

  b un profumo

  c un succo di frutta

2 La pubblicità mette in evidenza che con questo sito fare gli spot è

  a costoso

  b semplice

  c una novità

3 Il testo è la pubblicità di

  a un videogioco

  b una pubblicazione

  c un programma televisivo

4 La persona che parla

  a lavora di sera

  b è un presentatore

  c sta cercando lavoro

Preparazione al CELI 2

5. Ascoltate i messaggi da 1 a 4 e indicate la risposta corretta. Ascolterete i testi due volte.

1 In treno il cane per non vedenti
- a è ammesso in tutte le carrozze
- b paga solo 5 euro di biglietto
- c può viaggiare solo in agosto

2 Il testo ha lo scopo di
- a invitarvi a viaggiare in treno in Sicilia
- b promuovere le bellezze della città di Cefalù
- c consigliarvi di fare le vacanze in Sicilia

3 Il testo ha l'intento di dare
- a consigli
- b spiegazioni
- c informazioni

4 In questo testo troviamo
- a le nuove tariffe dei Frecciarossa
- b una promozione della zona del Cilento
- c un'offerta promozionale dei Frecciarossa

6. Ascoltate i messaggi da 1 a 4 e indicate la risposta corretta. Ascolterete i testi due volte.

1 In questo messaggio si

    a   danno informazioni sul volo per Venezia

    b   consiglia ai passeggeri di controllare i loro bagagli

    c   invitano i passeggeri a presentarsi all'uscita d'imbarco

2 Lo scopo del testo è

    a   fare un invito

    b   fare pubblicità

    c   dare dei consigli

3 La pubblicità riguarda

    a   la cucina

    b   un regalo

    c   una pianta

4 Il testo è un invito a

    a   viaggiare più spesso

    b   navigare in Internet

    c   scegliere il proprio albergo

🎧 **1. Ascoltate queste brevi notizie da 1 a 4 e indicate la risposta corretta. Ascolterete i testi due volte.**

1 Secondo il testo

[a] in questo borgo ci sono 6 centenari

[b] Caminella Rienzi ha problemi di salute

[c] gli abitanti del borgo vivono in miseria

2 La notizia ci dice che per la qualità di vita

[a] Vienna è finalmente la prima città

[b] Zurigo è stata sei volte la prima città

[c] Zurigo è la seconda città in graduatoria

3 Questo annuncio è rivolto a chi

[a] ama navigare sul web

[b] dispone di un cellulare

[c] vuole mandare messaggi

4 Questo sito viene seguito da persone

[a] piene di curiosità

[b] del mondo artistico

[c] interessate alla cultura

 2. Ascoltate queste brevi notizie da 1 a 4 e indicate la risposta corretta. Ascolterete i testi due volte.

1 Nel testo si informa che a Cinema show

    a parteciperanno ben 40 fotografi

    b ci sarà la possibilità di vedere 40 film

    c le fotografie raccontano 40 anni di cinema

2 La notizia ci informa che

    a avere un gatto vicino rilassa durante una lunga attesa

    b in Giappone amano molto i gatti per la loro bellezza

    c un salone di bellezza usa i gatti per fare massaggi

3 Il testo informa che per lavorare come medico occorrono

    a cinque anni di studio

    b massimo nove anni di studio

    c dai nove agli undici anni di studio

4 L'app di cui si parla nel testo è

    a utile per i genitori

    b preferita dai bambini

    c necessaria per telefonare

CELI 2

3. Ascoltate queste brevi notizie da 1 a 4 e indicate la risposta corretta. Ascolterete i testi due volte.

1 Questo consiglio è rivolto a chi

- a ha intenzione di dimagrire
- b preferisce la dieta vegetariana
- c vuole mangiare in modo sano

2 Questo testo ha lo scopo di

- a invitare tutti a prendere un cane
- b informare i cittadini sull'esistenza di un ebook
- c dare dei consigli per far smettere il cane di abbaiare

3 La notizia riguarda un

- a lieto evento
- b fatto tragico
- c incidente aereo

4 Il testo ci invita a

- a dormire meglio e evitare lo stress
- b prendere un animale in casa
- c amare tutti gli animali

4. Ascoltate queste brevi notizie da 1 a 4 e indicate la risposta corretta. Ascolterete i testi due volte.

1 Per una vita più sana il consiglio è di
  - [a] lasciare il lavoro
  - [b] andare in palestra
  - [c] usare la bicicletta

2 Il testo parla di
  - [a] alcune abitudini dei cani
  - [b] una nuova idea per i cani
  - [c] un progetto per case di lusso

3 Lo scopo di questa iniziativa è quello di
  - [a] dare lavoro ai senzatetto
  - [b] offrire un servizio ai senzatetto
  - [c] aiutare i senzatetto a trovare una casa

4 Secondo questo studio i bambini bilingue
  - [a] hanno maggiori abilità degli altri bambini
  - [b] riescono con facilità ad attirare l'attenzione
  - [c] presentano alcune difficoltà di concentrazione

5. Ascoltate queste brevi notizie da 1 a 4 e indicate la risposta corretta. Ascolterete i testi due volte.

1 Il testo ha lo scopo di

     a   aiutarvi a risolvere un vostro problema

     b   fare pubblicità a uno studio di avvocati

     c   suggerirvi di rivolgervi ad un avvocato

2 Lo scopo del testo è quello di

     a   invitare a sostenere questo supermercato

     b   dare informazioni su questo supermercato

     c   sconsigliare di comprare in questo supermercato

3 Secondo alcuni dati diffusi da CosmoBike Show

     a   mezzo milione di italiani usa la bicicletta

     b   il 61% degli italiani visita l'Italia in bicicletta

     c   ci sono stranieri che visitano l'Italia in bicicletta

4 Secondo il testo Loano è l'ideale per

     a   le nostre vacanze invernali

     b   gli appassionati del mare

     c   chi ama fare lunghe camminate

6. Ascoltate queste brevi notizie da 1 a 4 e indicate la risposta corretta. Ascolterete i testi due volte.

1 Montecatini è famosa per

   a   i suoi bei negozi

   b   le terapie alle terme

   c   l'arte paesaggistica

2 Il testo si rivolge a chi

   a   ama nuotare nelle acque del Danubio blu

   b   desidera fare una crociera sul fiume Danubio

   c   ama fotografare città dell'Europa centro orientale

3 Ecco il luogo ideale per chi

   a   ha la passione del mare anche in inverno

   b   ama clima e vegetazione tropicale

   c   è attratto da luoghi famosi e poco popolati

4 Questo testo rappresenta un invito a

   a   fare attività fisica

   b   limitare l'attività fisica

   c   evitare gli sforzi fisici

Preparazione al
CELI 2

1 **1° testo**

Questo testo parla degli anziani che decidono di coabitare. Non tutte le affermazioni sono comprese nel testo. Indicate SÌ se l'affermazione è compresa nel testo, NO se non è compresa.

Ascolterete il testo una sola volta.

		Sì	No
1	Anna e Paola coabitano insieme già da 3 anni	☐	☐
2	una coabitazione quella tra le due donne, nata così, quasi per caso	☐	☐
3	di un fenomeno che diventa sempre più comune in tutta Italia	☐	☐
4	condividere la propria casa, le esigenze della vita quotidiana	☐	☐
5	gli anziani che abitano insieme vivono più a lungo	☐	☐
6	in futuro la maggior parte degli anziani abiterà con altri anziani	☐	☐
7	a Milano si vedono anche dei casi di coabitazioni tra generazioni differenti	☐	☐
8	che mette insieme anziani soli e studenti in cerca di una sistemazione	☐	☐
9	Rosy e Salvatore, studente di ingegneria, abitano insieme da due anni	☐	☐
10	all'inizio Salvatore non era molto contento	☐	☐
11	niente pulizie, cucina quasi sempre lei, tiene in ordine	☐	☐
12	rendendomi utile con le faccende pesanti	☐	☐
13	per me è una sicurezza avere Salvatore in casa	☐	☐
14	per Salvatore, Rosy è come una sorella	☐	☐
15	mi aiuta a tenermi sempre attiva	☐	☐

136

EDILINGUA

2 **1° testo**

Questo testo parla dei corsi estivi di lingua inglese. Non tutte le affermazioni sono comprese nel testo. Indicate SÌ se l'affermazione è compresa nel testo, NO se non è compresa. Ascolterete il testo una sola volta.

		Sì	No
1	da secoli richiamano i migliori studenti	☐	☐
2	è possibile vivere un'esperienza culturale unica	☐	☐
3	durante l'estate gli studenti inglesi aiutano gli studenti stranieri	☐	☐
4	chi frequenta un corso a Oxford o Cambridge ha libero accesso alle università inglesi	☐	☐
5	anche i college di Londra permettono di frequentare eccellenti corsi estivi	☐	☐
6	Londra non è la città più multiculturale del mondo	☐	☐
7	potrai seguire il corso più adatto ai tuoi interessi	☐	☐
8	a Londra ci sono soltanto corsi in full immersion	☐	☐
9	potrai perfezionare l'inglese dedicandoti al tuo sport	☐	☐
10	vivere a pieno la vita del college	☐	☐
11	c'è però anche la possibilità di conoscere un'altra realtà della vita inglese	☐	☐
12	per i più piccoli ci sono anche gite in barca sulla costa sud dell'Inghilterra	☐	☐
13	gli studenti più piccoli devono essere sempre accompagnati da un adulto	☐	☐
14	le attività variano dai giochi di squadra alle escursioni	☐	☐
15	chi fa quest'esperienza ritornerà di sicuro l'anno dopo	☐	☐

Preparazione al
CELI 2

3 **1° testo**

🎧 **15**

Il testo parla della città di Venezia. Non tutte le affermazioni sono comprese nel testo. Indicate SÌ se l'affermazione è compresa nel testo, NO se non è compresa.
Ascolterete il testo una sola volta.

	Sì	No
1 il numero dei suoi abitanti è diminuito di molto	☐	☐
2 a causa degli alti costi degli alloggi	☐	☐
3 molti stranieri hanno comprato casa a Venezia negli anni '50	☐	☐
4 i proprietari delle case vengono a Venezia per un paio di settimane in primavera o in estate	☐	☐
5 oggi ci sono meno di 50.000 abitanti	☐	☐
6 oggi l'età media si aggira intorno ai cinquant'anni	☐	☐
7 le giovani coppie a Venezia fanno pochi figli	☐	☐
8 scuola e asili sono sempre meno affollati	☐	☐
9 nel passato si poteva raggiungere Venezia solo in barca	☐	☐
10 la città un tempo isolata è stata congiunta alla terraferma	☐	☐
11 l'aeroporto "Leone d'oro" collega la città con il resto del mondo	☐	☐
12 a Venezia si può entrare a piedi o in barca	☐	☐
13 ogni anno a Venezia si contano più di 20 milioni di turisti	☐	☐
14 Venezia è famosa soltanto per le sue gondole	☐	☐
15 molti giovani non trovano più lavoro a Venezia nei ristoranti	☐	☐

4 **1° testo**

Il testo parla di un Villaggio di vacanze per i giovani. Non tutte le affermazioni sono comprese nel testo. Indicate SÌ se l'affermazione è compresa nel testo, NO se non è compresa. Ascolterete il testo una sola volta.

		Sì	No
1	per una vacanza da sogno nell'unico villaggio per giovani d'Italia	☐	☐
2	*beach party* che danno il benvenuto ai nuovi ospiti	☐	☐
3	tutte le bibite sono a pagamento	☐	☐
4	un *silent party* con i fuochi sull'immensa spiaggia del villaggio	☐	☐
5	si pranza e si cena tutti insieme	☐	☐
6	possono entrare al villaggio solo ragazzi maggiorenni	☐	☐
7	il villaggio assegna a ogni ragazzo lettino, sdraio e ombrellone	☐	☐
8	con l'obiettivo di girare tutti i giorni in spiaggia per conoscere gli altri giovani	☐	☐
9	siamo di fronte alle isole Eolie	☐	☐
10	ad alcune feste possono partecipare anche i familiari	☐	☐
11	sarà possibile vivere appieno le bellezze di questa terra	☐	☐
12	e dal villaggio potremo raggiungere i locali più belli	☐	☐
13	in questa zona le discoteche sono numerose	☐	☐
14	ci sono due pacchetti in offerta	☐	☐
15	l'Offerta Sicilia 2, al prezzo di 260 euro, ti offre: viaggio in pullman, 7 notti in pensione completa	☐	☐

5 **1° testo**
In questo testo ascolterete un'intervista ad uno studente Erasmus. Non tutte le affermazioni sono comprese nel testo. Indicate SÌ se l'affermazione è compresa nel testo, NO se non è compresa.
Ascolterete il testo una sola volta.

(17)

		Sì	No
1	Luis studia ingegneria aeronautica all'Università di Valencia	☐	☐
2	Luis desiderava venire a Milano da molto tempo	☐	☐
3	ho dovuto cercare tutto via internet, ed è stato un po' difficile	☐	☐
4	per imparare la lingua soprattutto e fare degli incontri	☐	☐
5	c'è bisogno di un periodo d'adattamento	☐	☐
6	quindi per me Milano non è una città molto grande	☐	☐
7	Milano è una città cara rispetto alle città spagnole	☐	☐
8	i primi tempi sono stato aiutato dai miei amici milanesi	☐	☐
9	l'italiano e lo spagnolo si assomigliano molto	☐	☐
10	ho dovuto imparare a essere un po' più rapido e sempre puntuale	☐	☐
11	gli amici milanesi arrivavano con qualche minuto di ritardo	☐	☐
12	il Politecnico di Milano è stata un'esperienza difficile	☐	☐
13	non sono esigenti ed è molto facile passare un esame	☐	☐
14	l'amministrazione non è ben organizzata e non è sempre facile accedere ai laboratori	☐	☐
15	alla fine non ho imparato la lingua e non ho conosciuto nessuno	☐	☐

6 **1° testo**

In questo testo una ragazza, Denise, parla di sport e studio. Non tutte le affermazioni sono comprese nel testo. Indicate SÌ se l'affermazione è compresa nel testo, NO se non è compresa.

Ascolterete il testo una sola volta.

		Sì	No
1	mi chiamo Denise, ho 22 anni e ho due grandi passioni: lo studio e lo sport	☐	☐
2	per molti giovani lo sport è solamente un gioco	☐	☐
3	avevo nove anni quando ho scoperto l'atletica leggera	☐	☐
4	a me piace ogni tipo di sport	☐	☐
5	ho sempre sognato di studiare Legge	☐	☐
6	molti giovani rinunciano agli studi per praticare uno sport	☐	☐
7	frequento il quarto anno di Giurisprudenza con ottimi risultati	☐	☐
8	riesco ad essere tra le prime 15 atlete assolute in Italia	☐	☐
9	sono riuscita a trovare il mio equilibrio	☐	☐
10	dedico otto ore della giornata allo sport e due ore allo studio	☐	☐
11	spesso studio anche dopo cena	☐	☐
12	nel fine settimana faccio due allenamenti al giorno	☐	☐
13	l'università italiana, è vero, spesso non ti aiuta a praticare uno sport	☐	☐
14	grandi sportivi, non solo di livello nazionale ma anche internazionale, riescono a portare avanti due impegni	☐	☐
15	non basta avere grandi doti fisiche per migliorare nell'atletica	☐	☐

CELI 2

7 2° testo

🎧 Questo testo parla di un cane di nome Galeone. Non tutte le affermazioni sono comprese nel testo. Indicate SÌ se l'affermazione è compresa nel testo, NO se non è compresa.
Le affermazioni riportano il contenuto del testo senza ripetere necessariamente le stesse parole.
Ascolterete il testo due volte.

		Sì	No
1	Dina era un'amica pittrice	☐	☐
2	il cane di Dina era un po' grasso e pigro	☐	☐
3	Galeone aveva il pelo scuro	☐	☐
4	quando Dina dipingeva Galeone era contento	☐	☐
5	Dina andava spesso a Milano per lavoro	☐	☐
6	quando Dina partiva Galeone non mangiava	☐	☐
7	a Galeone non era simpatico il fidanzato di Dina	☐	☐
8	Galeone faceva l'offeso quando Dina tornava da Milano	☐	☐
9	a volte Dina portava Galeone a correre lungo la spiaggia	☐	☐
10	Galeone amava la sua tranquillità, amava starsene a casa	☐	☐

8 **2° testo**

In questo testo Luca ci parla della sua esperienza. Non tutte le affermazioni sono comprese nel testo. Indicate SÌ se l'affermazione è compresa nel testo, NO se non è compresa. Le affermazioni riportano il contenuto del testo senza ripetere necessariamente le stesse parole.

Ascolterete il testo due volte.

		Sì	No
1	Luca è andato a Londra per continuare gli studi	☐	☐
2	a 15 anni Luca comincia a viaggiare	☐	☐
3	Luca ha preso un volo per Londra senza dire niente ai genitori	☐	☐
4	dopo un mese a Londra Luca ha trovato un lavoro vicino a casa	☐	☐
5	Luca ha imparato molto bene l'inglese in poco tempo	☐	☐
6	dopo tre mesi ha trovato un altro lavoro nell'istituto in cui studiava	☐	☐
7	Luca è riuscito a diventare supervisore della casa degli studenti	☐	☐
8	per ottenere la posizione di supervisore ha fatto molti colloqui	☐	☐
9	ora Luca vive gratuitamente in un appartamento in centro	☐	☐
10	Luca è contento della sua esperienza all'estero	☐	☐

9 2° testo
Questo testo parla della storia di Kana, una ragazza giapponese. Non tutte le affermazioni sono comprese nel testo. Indicate SÌ se l'affermazione è compresa nel testo, NO se non è compresa.
Le affermazioni riportano il contenuto del testo senza ripetere necessariamente le stesse parole.
Ascolterete il testo due volte

		Sì	No
1	Kana va a scuola in treno ogni giorno	☐	☐
2	quando viaggia Kana legge sempre un libro	☐	☐
3	la storia di Kana è stata scritta anche in un libro	☐	☐
4	la stazione di Kami-Shirataki stava per chiudere	☐	☐
5	la stazione continuerà a rimanere aperta per permettere a Kana di finire gli studi	☐	☐
6	Kana finirà gli studi liceali fra 3 anni	☐	☐
7	Kana, l'unica viaggiatrice di questa linea, viaggia gratuitamente	☐	☐
8	nel Nord del Giappone sono state soppresse negli ultimi anni 20 linee ferroviarie	☐	☐
9	molti abitanti del Nord del Giappone vanno a vivere al Sud	☐	☐
10	i giapponesi sono orgogliosi di questa decisione	☐	☐

10 2° testo

Questo testo parla delle attività che possiamo fare in cucina con i figli. Non tutte le affermazioni sono comprese nel testo. Indicate SÌ se l'affermazione è compresa nel testo, NO se non è compresa.

Le affermazioni riportano il contenuto del testo senza ripetere necessariamente le stesse parole.

Ascolterete il testo due volte

		Sì	No
1	ai bambini piace fare quello che fanno i genitori	☐	☐
2	per i bambini preparare da mangiare con i genitori è come un gioco	☐	☐
3	con i bambini si possono preparare solo ricette semplici	☐	☐
4	i bambini spesso preferiscono cibi già confezionati	☐	☐
5	grazie a queste ricette i bambini mangiano più facilmente frutta e verdure	☐	☐
6	i bambini amano provare e cucinare anche cibi di altri Paesi	☐	☐
7	per fare le lasagne sono necessari broccoli, ricotta, parmigiano, olio e passata di pomodoro	☐	☐
8	bisogna mescolare la crema di broccoli e ricotta per 10 minuti circa	☐	☐
9	la passata di pomodoro deve essere molto calda	☐	☐
10	le lasagne devono cuocere in forno per 30 minuti	☐	☐

11 **2° testo**

In questo testo si parla di animali abbandonati. Non tutte le affermazioni sono comprese nel testo. Indicate SÌ se l'affermazione è compresa nel testo, NO se non è compresa. Le affermazioni riportano il contenuto del testo senza ripetere necessariamente le stesse parole.

Ascolterete il testo due volte.

		Sì	No
1	bisogna denunciare chi abbandona un animale domestico	☐	☐
2	chi abbandona un animale domestico rischia la prigione per un anno	☐	☐
3	la multa per chi abbandona un cane domestico va da 1.000 a 10.000 euro	☐	☐
4	se si trova un animale abbandonato dobbiamo segnararlo entro un giorno	☐	☐
5	un cane abbandonato da poco sta con la testa alta ed è alla ricerca del padrone	☐	☐
6	per segnalare un animale abbandonato si chiamano i vigili urbani	☐	☐
7	sono i vigili urbani che devono chiamare l'associazione animali	☐	☐
8	se il cane ha il microchip è possibile ritrovare il padrone	☐	☐
9	se un animale è ferito non bisogna avvicinarsi	☐	☐
10	se investiamo con l'auto un animale dobbiamo pagare una multa	☐	☐

12 **2° testo**

Questo testo parla delle App da usare in vacanza. Non tutte le affermazioni sono comprese nel testo. Indicate SÌ se l'affermazione è compresa nel testo, NO se non è compresa. Le affermazioni riportano il contenuto del testo senza ripetere necessariamente le stesse parole.

Ascolterete il testo due volte.

		Sì	No
1	a volte in vacanza non è possibile usare le tecnologie	☐	☐
2	il 22% dei turisti posta foto delle vacanze sui social network	☐	☐
3	alcuni usano le app per leggere le proprie e-mail anche in vacanza	☐	☐
4	l'app *Wanderio* confronta i prezzi dei vari mezzi di trasporto	☐	☐
5	queste app si possono scaricare gratuitamente	☐	☐
6	l'app *PackPoint* ti dà consigli su cosa mettere in valigia	☐	☐
7	se l'aereo è in ritardo è possibile chiedere un rimborso	☐	☐
8	i turisti che hanno usato l'app *AirHelp* sono rimasti soddisfatti	☐	☐
9	l'app *Bagbnb* dà consigli su come preparare la valigia	☐	☐
10	in alcuni depositi si può lasciare il bagaglio pagando 5 euro	☐	☐

Preparazione al
CELI 2

PARTE A	**Prova di Comprensione della Lettura**
PARTE B	**Prova di Produzione di Testi Scritti**

Tempo: 2 ore

EDILINGUA

PARTE A
PROVA DI COMPRENSIONE DELLA LETTURA

A.1
Leggere i seguenti testi e indicare con una X vicino alla lettera A, B o C la risposta corretta.

Esempio di risposta

1 Voglia di vivere un'esperienza diversa? Voglia di scoprire orizzonti nuovi e aiutare gli altri? Voglia di scambiare e condividere le tue competenze con gli altri? Puoi unirti a noi per questo viaggio culturale e umanitario con destinazione Camerun. Non sono richiesti titoli di studi particolari, solo sani principi, mentalità aperta, un pizzico di curiosità ed entusiasmo. Partenza prevista: metà gennaio.

(*www.milano.bakeca.it*)

Questo annuncio interessa chi

a desidera esplorare l'Africa

b ama la cultura africana

c vuole fare volontariato

2 Il frullato di frutta è uno spuntino ideale nei mesi estivi ma non solo. Buono, nutriente e ricco di vitamine, può sostituire un pasto d'estate. Per realizzare il frullato di frutta potete utilizzare la frutta che preferite o quella di stagione. Potete inoltre sostituire il latte con lo stesso quantitativo di succo d'arancia. Per chi desiderasse un frullato più dolce, consigliamo di aggiungere un cucchiaio di zucchero o del miele!

(*www.ricette.giallozafferano.it*)

Secondo questa ricetta il frullato si fa

a solamente d'estate

b anche con il miele

c sempre col latte

3 Se sei in attesa dell'uscita in commercio di un nuovo libro, ti raccomandiamo di prenotarlo in anticipo! In questo modo potremo inviartelo non appena sarà disponibile sul nostro sito. Prenota adesso e potrai comodamente ricevere il libro senza rischiare di non trovarlo o di dover aspettare troppo per averlo. Avrai inoltre la certezza che pagherai il libro solo quando questo ti sarà spedito.

(*www.amazon.it*)

Con Amazon abbiamo la possibilità di

a ordinare un libro prima della sua uscita

b pagare un libro solo alla consegna

c ricevere un libro in poco tempo

4 In Italia portare il cane al ristorante con noi purtroppo non è sempre possibile, soprattutto se il gestore del locale non ne vuole proprio sapere di cani o se risponde alla nostra esigenza con frasi del tipo "*Sì, accettiamo i cani, ma solo di taglia piccola*", oppure "*Sì, i cani sono ammessi, ma il suo è tranquillo?*"... Risposte che nella maggior parte dei casi denotano una profonda mancanza di rispetto verso il padrone e verso il cane stesso.

(*www.justdog.it*)

Chi ha un cane in Italia deve sapere che

a i cani devono aspettare fuori dal ristorante

b un cane è sempre ammesso nelle sale dei ristoranti

c un gestore può rifiutare l'ingresso del cane al ristorante

5 Nei banchi gastronomia sono sempre più frequenti i cibi precotti, spesso anche molto invitanti e certamente preparati con cura. Prima di comprarli però è bene informarsi sul giorno di cottura. Un prodotto cucinato il giorno stesso è garanzia di freschezza e di assenza di conservanti.

(*www.laricetteria.com*)

Questo testo ci dà consigli

a sull'acquisto di cibi già cotti

b su come conservare i cibi cotti

c sul consumo di cibi con conservanti

6 Si sa che per una doccia di cinque minuti, consumiamo in media 10-20 litri al minuto, contro i 150 necessari a riempire una vasca. Naturalmente il risparmio c'è se non stiamo sotto al getto della doccia oltre questo limite: se canticchiamo sotto l'acqua corrente o restiamo a mollo per più di 15 minuti, la situazione si ribalta. Se avete l'abitudine di farvene una al mattino e lasciare la seconda per la corsa delle 18, provate a spostare l'attività fisica alle prime ore mattutine. Farà più fresco del tardo pomeriggio e, una volta lavati, sarete a posto fino al giorno successivo.

(www.focus.it)

Questo articolo ci raccomanda di

a fare più attività fisica

b risparmiare sul consumo d'acqua

c evitare di fare la doccia nel pomeriggio

7 Suo fratello ha deciso di portare al cinema i suoi due figli, due ragazzini di circa sette anni e Le chiede un consiglio sul film da scegliere.

1. Romanzo di una strage
Milano, 12 Dicembre 1969. Alle ore 16.37 in piazza Fontana una forte esplosione devasta la Banca Nazionale dell'Agricoltura, ancora piena di clienti. Muoiono diciassette persone e altre ottantotto rimangono gravemente ferite. Nello stesso momento, scoppiano a Roma altre tre bombe.

2. Buona giornata
Il film racconta la cronaca di una giornata, in Italia. Una giornata vissuta da personaggi dell'Italia di oggi, una fotografia degli italiani, con i loro vizi e i loro difetti. Nel film ci si sposta in varie città cercando di cogliere non solo il lato allegro delle situazioni ma anche il carattere linguistico e comportamentale delle varie regioni d'Italia.

3. Le 5 leggende
Una favola contemporanea basata su personaggi delle favole realmente esistenti: Babbo Natale, il Coniglio Pasquale, la Fata dei denti, Jack Frost e l'Uomo di Sabbia faranno squadra per difendere il mondo da un cattivo simile all'Uomo nero.

(www.static.film.it)

Quale film è più adatto secondo Lei?

a Film 1

b Film 2

c Film 3

EDILINGUA

A.2

Leggere il testo. Non tutte le informazioni sotto indicate sono presenti nel testo. Indicare accanto al numero *Sì*, se l'informazione è presente, e *No*, se non è presente.

Esempio di risposta

Adottare un cane

Se stai pensando di adottare un cane, anche già adulto, puoi prendere in considerazione un'opportunità singolare: scegliere un ex cane poliziotto.
Quando, dopo 6-8 anni di servizio un cane della polizia va in congedo, spesso viene preso dalla persona-collega con cui ha trascorso l'intero periodo di attività e con cui ha instaurato un rapporto di affetto. Ma se non trova casa, possono adottarlo anche i cittadini privati. Da bravo cane poliziotto è un animale dalle particolari competenze e dal carattere piuttosto forte e deciso. Di solito sono Pastori Tedeschi, Pastori belgi o Rottweiler, per questo è indispensabile che tu sia già esperto nella cura di cani di queste razze.
Se hai deciso che l'ex cane poliziotto è il cane che fa per te, vai sul sito della Polizia di Stato, scarica il modulo per la domanda di adozione, compilalo e inviarlo con raccomandata al Centro Coordinamento dei Servizi Cinofili, Via S.Barbara, 94, 00048 Belluno. Dopo aver valutato le richieste, il Centro deciderà le assegnazioni. Se tra i nomi c'è anche il tuo, devi sapere che quando andrai a ritirare il tuo nuovo amico, sarai obbligato a sostenere un colloquio per verificare la tua capacità di gestire il cane.

(Confidenze)

8 Gli ex cani poliziotto si possono adottare

9 Un cane poliziotto non è pericoloso per i bambini

10 Alla fine del servizio il cane viene spesso adottato dal suo collega

11 Anche un normale cittadino può adottare un cane poliziotto

12 I cani poliziotto solo solamente maschi

13 Se si adotta un ex cane poliziotto bisogna essere informati sulla sua razza

14 Sono molte le persone che vogliono adottare un ex cane poliziotto

15 La gente vuole un ex cane poliziotto perché si sente più sicura

16 La domanda si può portare anche a mano

17 Prima di adottare il cane si deve fare un colloquio

A.3
Completare le frasi con la parola opportuna, indicando con una X la parola scelta.

Esempio di risposta

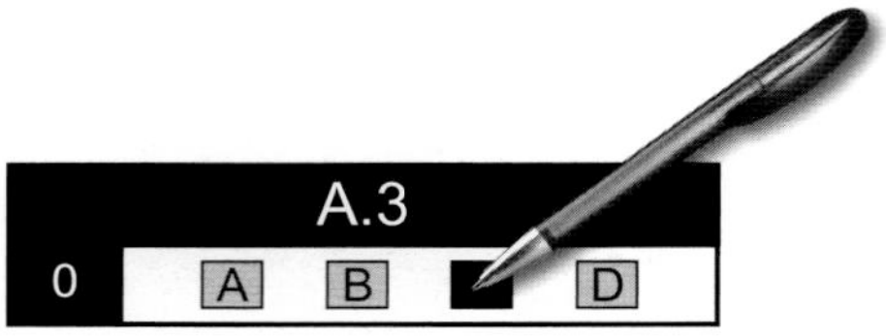

A.3			
0	A	B	■ D

18 Non ho .... deciso se partire in treno o in auto.

- A inoltre
- B ancora
- C anche
- D appena

19 Gianna non parla l'inglese, ... parla bene il francese e lo spagnolo.

- A inoltre
- B oppure
- C anche
- D però

20 Lucio non mi ha .... rigraziato per il regalo. Che maleducato!

- A inoltre
- B nemmeno
- C finalmente
- D perciò

21 Sono riuscita a finire tutti i compiti .... le vacanze.

- A dopo
- B intanto
- C durante
- D mentre

22 .... non abbiamo soldi per le vacanze staremo a casa.

- A Come
- B Siccome
- C Perché
- D Quando

A.4
Completare il testo. Scegliere la parola opportuna tra quelle proposte.

Esempio di risposta

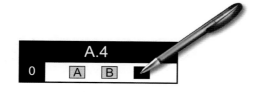

I compiti a casa

Nella nostra scuola a tempo pieno i compiti vengono assegnati ....(23)........ fine settimana; a volte viene richiesta una breve attività di studio o di ripasso ....(24)........ la settimana. Studiare e fare i compiti a casa ....(25)........ impegnarti per breve tempo ed è un'attività ....(26)........ devi svolgere in autonomia, esattamente come avviene in classe. ....(27)........ non puoi lavorare da solo/a perché hai delle difficoltà, è l'insegnante stessa che lo comunica alla ....(28)........ famiglia!

L'insegnante ....(29)........ sempre in classe i compiti, si fanno esempi concreti e spesso ....(30)........ devi terminare a casa perché si iniziano a scuola. A casa puoi chiedere conferma a qualcuno se inizialmente hai ....(31)........ dubbio, poi però devi continuare da solo. Alla fine chiedi sempre ....(32)........ a qualcuno per controllare il tuo lavoro. Ricordati che nello studio è importante che qualcuno ascolti la tua esposizione orale o che tu ripeti ciò che hai studiato ad alta voce.

(*www.blog.scuolaer.it*)

23 A del   B nel   C al

24 A mentre   B intanto   C durante

25 A deve   B devono   C devi

26 A quale   B che   C quella

27 A Poiché   B Se   C Infine

28 A sua   B tua   C vostra

29 A insegna   B impara   C spiega

30 A ti   B si   C li

31 A qualche   B del   C il

32 A domanda   B aiuto   C favore

A.5
Completare le frasi con i pronomi opportuni.

Esempio di risposta

33 Cerca di non spendere subito tutti i soldi. Se li finisci poi non ....(33)........ do più.

34 Se andate a teatro, ...(34)........ vengo volentieri anch'io.

35 Dottore, ...(35)........ vorrei fare ancora una domanda.

36 Ma Giorgio, dove sono i gattini appena nati? ....(36)........ fai vedere?

37 Carlo non ha passato l'ultimo esame. Non chiedetegli niente perché non ....(37)........ vuole parlare.

B.1
Rispondere al questionario.

Lei ha letto in Internet un articolo molto interessante sul fenomeno dei Social Network. Alla fine dell'articolo ha trovato questo questionario e ha deciso di rispondere.

Esempio di risposta

B.1

0   *esempio*

1 Quando ha aperto il Suo profilo su Facebook?
....

2 Per quale motivo ha deciso di crearsi un profilo su Facebook?
....

3 Lei ha qualche altro account su altri Social Network? Sì/no, perché?
....

4 Quanto frequentemente accede su Facebook o altri Social Network?
....

5 Pensa di passare troppo tempo su Facebook o su altri Social Network? Spieghi perché.
....

6 Quali attività fa più spesso su Facebook o sui Social Network?
....

7 Cosa Le piace di più di Facebook o dei vari Social Network?
....

8 Cosa Le piace di meno di Facebook o dei vari Social Network?
....

9 Trascorre più tempo sui Social Network o con i Suoi amici della vita reale? Spieghi perché.
....

B.2
Scrivere un annuncio.

(usare circa 50 parole)

Lei è il propietario di un nuovo bar sulla spiaggia e cerca aiutanti per la prossima estate. Decide di scrivere un annuncio da pubblicare sul giornale locale.

Nell'annuncio

- descrive il profilo degli aiutanti
- spiega brevemente il lavoro che devono svolgere
- indica gli orari e la paga

B.3
Scrivere una lettera.

(da un minimo di 90 ad un massimo di 100 parole)

Il mese scorso ha conosciuto in aereo una ragazza giovane e molto simpatica che ha appena aperto una scuola di moda a Roma. Lei adora la moda e così avete fatto subito amicizia e vi siete scambiati/e gli indirizzi. Dopo un po' di tempo Lei decide di scriverle una lettera perché vorrebbe studiare moda e quindi le chiede alcune informazioni sui corsi della scuola.

Nella lettera

- le chiede sue notizie
- racconta quello che ha fatto recentemente
- dichiara il Suo interesse per seguire un corso di moda
- chiede informazioni sui corsi della sua scuola

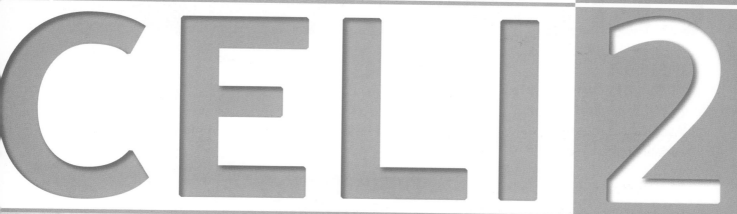

Preparazione al CELI 2

PARTE C   **Prova di Comprensione dell'Ascolto**

Tempo: 20 minuti

EDILINGUA

PARTE C
PROVA DI COMPRENSIONE DELL'ASCOLTO

 C.1
Ascoltate i messaggi da 1 a 4 e indicate nel Foglio delle Risposte la risposta corretta.
Ascolterete i testi due volte.

Esempio di risposta

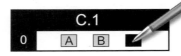

1 Dalla libreria hanno telefonato alla signora per

- a ricordarle il nuovo orario di chiusura
- b informarla su un libro appena uscito
- c invitarla a ritirare un buono per acquisti

2 Questo annuncio è stato dato su

- a un treno
- b una nave
- c un aereo

3 Nel testo si dà un consiglio su come

- a pulire la lavatrice
- b usare la lavatrice
- c scegliere una lavatrice

4 Isomar è la marca di

- a occhiali da sole
- b collirio per gli occhi
- c occhialini per la piscina

C.2

Ascoltate i testi da 5 a 8 e indicate nel Foglio delle Risposte la risposta corretta.
Ascolterete i testi due volte.

Esempio di risposta

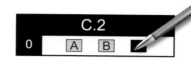

5 Il testo presenta la pubblicità di un

- a albergo
- b campeggio
- c centro sportivo

6 Il testo invita a

- a visitare la città di Milano
- b fare un'attività collettiva
- c seguire le manifestazioni sportive

7 Il testo vuole mettere in evidenza

- a la gastronomia del luogo
- b la ricchezza artistica della città
- c l'offerta da parte di un Museo

8 La notizia riporta che

- a un escursionista ha portato una borsa ai carabinieri
- b una donna si è persa su un sentiero in Val Gardena
- c i carabinieri hanno trovato duemila euro in una borsa

CELI 2

 C.3 - 1° testo

Questo testo parla di un ragazzo italiano che si è trasferito in Australia. Non tutte le affermazioni sono presenti nel testo. Indicate nel Foglio delle Risposte, vicino al numero dell'affermazione, SÌ se è presente nel testo, NO se l'affermazione non è presente nel testo.

Ascolterete il testo una sola volta.

Esempio di risposta

9 ho una bellissima casa a Roma

10 ora vivo a Melbourne da più di tre anni

11 ho lasciato l'Italia in inverno, prima di Natale

12 fin da piccolo sognavo di fare il giornalista

13 ai miei genitori non piaceva il lavoro di giornalista

14 ho trascorso diversi anni della mia vita a lavorare nel settore della comunicazione

15 ho avuto dei momenti difficili ma ho avuto il coraggio di ricominciare

16 ho lavorato come cameriere in una pizzeria in Australia

17 ora mi occupo di marketing e comunicazione per un'agenzia

18 con questo lavoro però non guadagno bene

19 in Australia chiunque può avere un tenore di vita dignitoso

20 in Australia il costo della vita è in media più caro che in Italia

21 il lato negativo è sicuramente la difficoltà linguistica

22 io sono un nostalgico, mi manca l'Italia e la mia città

23 qui secondo me si vive meglio

C.3 - 2° testo

Questo testo parla delle vacanze in compagnia di amici. Non tutte le affermazioni sono presenti nel testo. Indicate nel Foglio delle Risposte, vicino al numero dell'affermazione, SÌ se è presente nel testo, NO se l'affermazione non è presente nel testo.
Le affermazioni riportano il contenuto del testo senza ripetere necessariamente le stesse parole.
Ascolterete il testo due volte.

Esempio di risposta

C.3 - 2° testo

| 0 | Sì | ■ |

24 andare in vacanza con gli amici è sempre divertente

25 nel testo troviamo consigli per organizzare una vacanza

26 New York è l'ideale per divertirsi in vacanza

27 a New York gli alberghi costano molto

28 SharmEl Sheik è una delle mete preferite dai turisti

29 a Sharm El Sheik trovate alberghi e discoteche eccezionali

30 a Malta è possibile fare escursioni in barca

31 a Londra vi aspetta lo shopping, la moda e tanto divertimento

32 la domenica a Londra nei musei l'ingresso è libero

33 in Grecia mangiare e alloggiare non costa molto

CHIAVI

A.1

1. b; **2.** b; **3.** b; **4.** a; **5.** b; **6.** a; **7.** a; **8.** a; **9.** c; **10.** c; **11.** c; **12.** c; **13.** c; **14.** c; **15.** a; **16.** a; **17.** c; **18.** b; **19.** c; **20.** c; **21.** a; **22.** c; **23.** b; **24.** c; **25.** b; **26.** a; **27.** c; **28.** a; **29.** b; **30.** a; **31.** b; **32.** b; **33.** a; **34.** a; **35.** b; **36.** c; **37.** b; **38.** b; **39.** c; **40.** a; **41.** c; **42.** b; **43.** b; **44.** c; **45.** a; **46.** c; **47.** c; **48.** a; **49.** a; **50.** b; **51.** c; **52.** b; **53.** a; **54.** b; **55.** a; **56.** c; **57.** b; **58.** b; **59.** b; **60.** a

A.2

1. Sì: 1, 2, 4, 6, 8; **No:** 3, 5, 7, 9, 10
2. Sì: 1, 5, 7, 9, 10; **No:** 2, 3, 4, 6, 8
3. Sì: 1, 4, 6, 7, 10; **No:** 2, 3, 5, 8, 9
4. Sì: 1, 2, 5, 6; **No:** 3, 4, 7, 8, 9, 10
5. Sì: 1, 3, 4, 5, 9; **No:** 2, 6, 7, 8, 10
6. Sì: 2, 4, 8, 9, 10; **No:** 1, 3, 5, 6, 7
7. Sì: 1, 3, 7, 10; **No:** 2, 4, 5, 6, 8, 9
8. Sì: 3, 5, 8, 9, 10; **No:** 1, 2, 4, 6, 7
9. Sì: 1, 2, 4, 5, 6, 9; **No:** 3, 7, 8, 10
10. Sì: 1, 2, 4, 7, 8; **No:** 3, 5, 6, 9, 10

11. Sì: 1, 2, 4, 7, 8; **No:** 3, 5, 6, 9, 10
12. Sì: 1, 2, 3, 5, 8; **No:** 4, 6, 7, 9, 10
13. Sì: 1, 2, 4, 6, 9, 10; **No:** 3, 5, 7, 8
14. Sì: 1, 2, 3, 8, 9; **No:** 4, 5, 6, 7, 10
15. Sì: 1, 2, 5, 7, 10; **No:** 3, 4, 6, 8, 9
16. Sì: 2, 3, 6, 7, 9; **No:** 1, 4, 5, 8, 10
17. Sì: 1, 2, 4, 6, 7, 9; **No:** 3, 5, 8, 10
18. Sì: 1, 2, 5, 6, 8; **No:** 3, 4, 7, 9, 10
19. Sì: 1, 2, 4, 5, 7, 9; **No:** 3, 6, 8, 10
20. Sì: 2, 3, 5, 8; **No:** 1, 4, 6, 7, 9, 10

A.3

1. c; **2.** c; **3.** b; **4.** a; **5.** c; **6.** d; **7.** b; **8.** a; **9.** b; **10.** d; **11.** a; **12.** b; **13.** c; **14.** a; **15.** c; **16.** a; **17.** d; **18.** a; **19.** b; **20.** a; **21.** d; **22.** c; **23.** b; **24.** b; **25.** d; **26.** a; **27.** b; **28.** d; **29.** c; **30.** b; **31.** d; **32.** a; **33.** b; **34.** c; **35.** d; **36.** d; **37.** b; **38.** c; **39.** b; **40.** a; **41.** c; **42.** c; **43.** b; **44.** d; **45.** a; **46.** c; **47.** a; **48.** c; **49.** d; **50.** a; **51.** a; **52.** b; **53.** a; **54.** c; **55.** a; **56.** b; **57.** b; **58.** d; **59.** a; **60.** c; **61.** a; **62.** b; **63.** d; **64.** b; **65.** c; **66.** d; **67.** b; **68.** a; **69.** a; **70.** b; **71.** c; **72.** d; **73.** b; **74.** b; **75.** a; **76.** a; **77.** b; **78.** d; **79.** b; **80.** a

A.4

1. 1.c, 2.a, 3.c, 4.a, 5.b, 6.c, 7.b, 8.b, 9.a, 10.b
2. 1.a, 2.c, 3.a, 4.b, 5.b, 6.c, 7.c, 8.a, 9.b,10.c
3. 1.c, 2.b, 3.c, 4.a, 5.b, 6.a, 7.a, 8.b, 9.c, 10.a
4. 1.b, 2.c, 3.b, 4.a, 5.c, 6.b, 7.b, 8.a, 9.c, 10.a
5. 1.b, 2.b, 3.c, 4.b, 5.a, 6.b, 7.c, 8.a, 9.c, 10.b
6. 1.a, 2.a, 3.c, 4.b, 5.a, 6.c, 7.a, 8.b, 9.b, 10.a
7. 1.c, 2.a, 3.c, 4.c, 5.a, 6.b, 7.c, 8.a, 9.b, 10.b
8. 1.b, 2.a, 3.b, 4.a, 5.c, 6.b, 7.a, 8.b, 9.a, 10.b
9. 1.c, 2.b, 3.b, 4.a, 5.a, 6.c, 7.c, 8.b, 9.a, 10.c
10. 1.c, 2.b, 3.a, 4.a, 5.b, 6.c, 7.c, 8.b, 9.a, 10.a
11. 1.a, 2.b, 3.c ,4.a, 5.b, 6.a, 7.a, 8.b, 9.a, 10.c
12. 1.a, 2.b, 3.b, 4.c, 5.c, 6.b, 7.a, 8.c, 9.c, 10.b
13. 1.b, 2.c, 3.c, 4.a, 5.b, 6.b, 7.b, 8.a, 9.c, 10.c
14. 1.a, 2.b, 3.b, 4.c, 5.a, 6.b, 7.c, 8.c, 9.b, 10.c
15. 1.a, 2.b, 3.b, 4.a, 5.b, 6.a, 7.a, 8.a, 9.b, 10.b
16. 1.a, 2.c, 3.b, 4.c, 5.c, 6.a, 7.c, 8.b, 9.b, 10.c
17. 1.b, 2.a, 3.c, 4.c, 5.a, 6.c, 7.b, 8.a, 9.b, 10.a
18. 1.b, 2.b, 3.a, 4.a, 5.b, 6.b, 7.a, 8.b, 9.c, 10.a
19. 1.b, 2.b, 3.a, 4.b, 5.b, 6.c, 7.a, 8.c, 9.c, 10.b
20. 1.b, 2.a, 3.b, 4.c, 5.b, 6.b, 7.a, 8.b, 9.c, 10.b

A.5

1. li/ci, **2.** ne (me ne), **3.** ne, **4.** *salutar*li, **5.** te l', **6.** lo, **7.** me ne/mi, **8.** ne, **9.** me li/ce li, **10.** ci, **11.** mi, **12.** gliel', **13.** Le, **14.** ci, **15.** *esser*Le, **16.** *portar*cene, **17.** *dar*Le, **18.** ci, **19.** le, **20.** gli, **21.** ne, **22.** Le, **23.** ce li, **24.** Me l', **25.** gliela, **26.** Ne, **27.** vi/ci, **28.** Le, **29.** te lo, **30.** glieli, **31.** Le, **32.** mi, **33.** Ce l', **34.** *venir*ci, **35.** lo, **36.** ti, **37.** me lo/ce lo, **38.** ne, **39.** Le, **40.** vi, **41.** *Compra*ne, **42.** Te ne, **43.** ci, **44.** Glieli, **45.** me lo, **46.** ne, **47.** *dir*velo, **48.** mi/ci, **49.** *compra*mene, **50.** *ecco*li, **51.** te lo, **52.** Ci, **53.** ci, **54.** Ce ne, **55.** ne, **56.** ci, **57.** vi, **58.** glielo, **59.** mi, **60.** Li, **61.** Me ne, **62.** la, **63.** ne, **64.** le, **65.** la, **66.** Ne, **67.** ve lo, **68.** ci, **69.** me l', **70.** ci

C.1

1. 1.a, 2.c, 3.c, 4.b
2. 1.a, 2.c, 3.a, 4.a
3. 1.b, 2.a, 3.a, 4.b
4. 1.a, 2.b, 3.b, 4.b
5. 1.a, 2.a, 3.c, 4.c
6. 1.c, 2.a, 3.c, 4.c

Preparazione al

CELI 2

C.2
1.1.a, 2.c, 3.c, 4.a
2.1.a, 2.c, 3.c, 4.a
3.1.a, 2.b, 3.a, 4.b
4.1.c, 2.b, 3.b, 4.a
5.1.a, 2.c, 3.c, 4.a
6.1.b, 2.b, 3.a, 4.a

C.3
1° testo
1.Sì: 2, 3, 4, 7, 8, 11, 12, 13, 15; **No**: 1, 5, 6, 9, 10, 14
2.Sì: 1, 2, 5, 7, 9, 10, 11, 14; **No**: 3, 4, 6, 8, 12, 13, 15
3.Sì: 1, 2, 5, 6, 8, 10, 12, 13; **No**: 3, 4, 7, 9, 11, 14, 15
4.Sì: 1, 4, 5, 8, 9, 11, 12, 14; **No**: 2, 3, 6, 7, 10, 13, 15
5.Sì: 1, 3, 4, 5, 9, 10, 12, 14; **No**: 2, 6, 7, 8, 11, 13, 15
6.Sì: 1, 3, 7, 8, 9, 13, 14, 15; **No**: 2, 4, 5, 6, 10, 11, 12

2° testo
7. Sì: 1, 2, 6, 8, 10; **No**: 3, 4, 5, 7, 9
8. Sì: 1, 2, 4, 6, 7, 9, 10; **No**: 3, 5, 8
9. Sì: 1, 4, 5, 8, 10; **No**: 2, 3, 6, 7, 9
10. Sì: 1, 2, 5, 6, 7, 10; **No**: 3, 4, 8, 9
11. Sì: 2, 3, 5, 6, 7, 8; **No**: 1, 4,9, 10
12. Sì: 2, 3, 4, 6, 7, 10; **No**: 1, 5, 8, 9

Prova completa
A.1
1.c, 2.b, 3.a, 4.c, 5.a, 6.b, 7.c

A.2
Sì: 8, 10, 11, 13, 17
No: 9, 12, 14, 15, 16

A.3
18.b, 19.d, 20.b, 21.c, 22.b

A.4
23.b, 24.c, 25.a, 26.b, 27.b, 28.b, 29.c, 30.c, 31.a, 32.b

A.5
33. te ne, 34. ci, 35. Le, 36. Me li, 37. ne

C.1
1.c, 2.c, 3.a, 4.b

C.2
1.a, 2.b, 3.b, 4.a

C.3
1° testo
Sì: 10, 12, 14, 15, 17, 19, 20, 21, 23; **No**: 9, 11, 13, 16, 18, 22

2° testo
Sì: 25, 26, 27, 29, 30, 33; **No**: 24, 28, 31, 32

TRASCRIZIONE DEI TESTI DI ASCOLTO

Traccia 1

1.

Attenzione, si informano i Signori passeggeri che lunedì 7 novembre, dalle ore 10:00 alle ore 18:00, l'aeroporto di Venezia sarà interessato da uno sciopero del personale.

2.

Si informano i signori viaggiatori che da lunedì 9 Gennaio entreranno in vigore i nuovi orari sulle seguenti linee: Catania-Messina, Catania-Enna-Messina. Importante: la corsa feriale Messina-Catania delle ore 4:30 sarà anticipata alle ore 4:15.

3.

Si informano i signori passeggeri che la partenza del treno internazionale 290, per la Germania, fissata per le ore 23:00, avverrà sul binario 12 anziché sul binario 9. Ci scusiamo di questo disagio.

4.

Buongiorno! Vi ricordiamo che la boutique della nave aprirà alle ore 11:00 e chiuderà alle ore 22:00. Troverete una vasta scelta di bijoux, orologi, accessori moda, cosmetici, profumi e giochi per bimbi. Ecco l'offerta del giorno: con una spesa minima di 100 € avrete lo sconto del 20% su profumi e cosmetici.

Traccia 2

1.

Salve! Grazie per aver chiamato la nostra ditta. I nostri uffici sono chiusi. Siamo aperti dalle 8.30 alle 13.30 e dalle 16.30 alle 19.30. Se lo desidera, può inviare un fax allo 06-48012 oppure un'e-mail a ditta@alice.it. Grazie e a risentirci!

2.

Sandra, ciao, ma dove sei sparita? Ti ho chiamata tante volte. Stasera c'è la cena con Roberto, è il suo compleanno, l'hai dimenticato? Mi raccomando, fatti viva!

3.

Signora Ludovisi, buongiorno, chiamo dalla ditta "Salotti Ciotti". Volevo informarla che il suo divano è pronto e passerà il nostro camioncino oggi alle 17.00 per la consegna. Se ci fossero problemi la preghiamo di contattarci allo 02-451836. Grazie e buona giornata!

4.

Dottore, mi scusi tanto se la disturbo a quest'ora. Il mio cane sta malissimo, trema, vomita in continuazione e non può stare in piedi, non so cosa fare. La prego mi contatti appena può.

Traccia 3

1.

Ecco il risultato del lavoro di squadra di ingegneri e stilisti, uniti per rispondere alle esigenze di chi vuole una vettura speciale. Una corsa alla perfezione che è partita dal Giappone e invita tutti gli appassionati. Questo fine settimana avete la possibilità di provarla, vi aspettiamo!

2.

Scopri il trattamento viso più adatto a te. Più di 5 milioni di donne sono già state conquistate. In regalo un mini prodotto.

3.

Zac è un bravissimo ragazzo che aspetta solo di portare all'altare la sua fidanzata. Robert è suo nonno che, dopo essere rimasto vedovo, parte col nipote per un viaggio verso la Florida, pieno di avventure. Una storia divertente. Da domani il DVD in edicola a soli 15 euro.

4.

Albergo per veri intenditori. Una piccola oasi per gli amanti della natura, escursionisti e ciclisti. Ambiente raffinato, ottima cucina, escursioni guidate in montagna e in bicicletta. Offerte speciali dal 22 al 29 maggio. 630 euro a persona inclusa mezza pensione e utilizzo del centro benessere. Bambini fino a 10 anni gratuiti.

Preparazione al CELI 2

Traccia 4

1.
Che faticaccia pulire la casa. Questo grasso sporco non viene via.
Prova Mastrolindo, ha una forza!
Che forza, che splendore e che profumo di limone!

2.
È nato spotradiofonici.it, finalmente un sito dedicato alle emittenti radiofoniche. Da oggi gli spot si ordinano on-line in pochi click. Consegna in 24 ore e il prezzo degli spot è la più interessante delle novità: da oggi gli spot radiofonici si pagano in relazione alla lunghezza del testo.

3.
Le più belle storie della vita nella giungla raccontate da due grandi autori in una coloratissima collana. Da domani vi aspetta in edicola!

4.
Ciao, mi chiamo Andrea. Sono sveglio, dinamico e so rendere magiche e uniche le serate. Sono pronto a nuove avventure ma anche ad esperienze in radio. Se avete bisogno di una voce, chiamatemi.

Traccia 5

1.
Per viaggi nel mese di agosto potete acquistare il biglietto per il vostro cane al prezzo promozionale di 5 euro per qualsiasi destinazione. Il cane guida per non vedenti può viaggiare su tutti i treni gratuitamente. Nelle carrozza ristorante/bar non è consentito l'accesso agli animali, fatta eccezione solo per il cane guida dei non vedenti.

2.
Trovare il tempo per rilassarsi, senza lo stress del traffico, degli esodi e del parcheggio: viaggiare in treno in Sicilia per raggiungere la tua spiaggia preferita è facile e comodo! Ogni giorno, da Palermo, più di 15 treni ti accompagnano a Cefalù, dove potrai godere di una delle più rinomate e importanti spiagge della Sicilia e del magnifico borgo medioevale.

3.
Prepara i documenti necessari per viaggiare in tutto il mondo: Italia, Europa, Usa e altre destinazioni. Se hai più di 18 anni e sei un passeggero europeo puoi usare il tuo passaporto elettronico all'uscita d'imbarco dell'aeroporto di Roma Fiumicino ed evitare la fila.

4.
Se scegli di soggiornare per un minimo di 5 notti in una struttura ricettiva del Cilento che ha aderito alla promozione "Scopri il Cilento… al viaggio ci pensiamo noi" hai diritto ad un rimborso sul biglietto del treno, se viaggi con i Frecciarossa, fino a un massimo di 50 euro per persona.

Traccia 6

1.
Attenzione, iniziamo l'imbarco del volo AH7364 per Venezia attraverso l'uscita d'imbarco n. 16. Per motivi di sicurezza invitiamo i signori passeggeri a presentare la carta d'imbarco e un documento d'identità.

2.
Il mal di schiena al risveglio può essere causato da una posizione sbagliata durante il sonno. Per saperne di più su cause e rimedi ti invitiamo a leggere lo speciale di oggi pubblicato sul nostro sito.

3.
Con questo piatto proverai l'orgoglio di sorprendere chi ami. Solo con basilico fresco e tutto il gusto mediterraneo.

4.
Quando viaggi all'estero vuoi essere sicuro di poter navigare in rete? Gli hotel Room Mate hanno il servizio We-Mate: al check in riceverai un router a cui potrai collegarti gratis ogni giorno. La nostra catena di alberghi ha

22 strutture in tutto il mondo.

Traccia 7
1.

Cancellara, borgo della Lucania con appena 1.300 abitanti ha un bel primato: in pochi anni sei abitanti hanno raggiunto il secolo di vita. Caminella Rienzi, nata all'epoca della Grande Guerra, nonostante sacrifici e miseria, ha cresciuto con tenacia cinque figli, tagliando il traguardo in buona salute.

2.

Anche quest'anno, e per la sesta volta, Vienna ha ottenuto il titolo di città con la migliore qualità di vita, dominando la graduatoria con Zurigo, Auckland e Monaco di Baviera, rispettivamente al secondo, terzo e quarto posto. La classifica viene stilata considerando stabilità economica, criminalità, economia, libertà di espressione, salute e clima.

3.

Da alcuni mesi la famosa app WhatsApp, con cui mandiamo i messaggi, è disponibile oltre che da smartphone anche da computer. Per avviare il servizio basta accedere al sito web whatsapp.com, dove troverete un codice che vi permetterà di registrarvi.

4.

"Il mondo più invidioso del web" è il sottotitolo di *Invidia*, un portale di gossip, moda e bellezza. Nel sito di *Invidia* troverete notizie su tutti i personaggi dello spettacolo, del loro look, e degli eventi di moda. Divertitevi ad indagare tra le notizie più piccanti e gli aneddoti.

Traccia 8
1.

Fino al 7 giugno a Palazzo Santa Margherita, a Modena, si terrà la mostra *Cinema Show*. Un secolo di cinema attraverso gli scatti di quaranta fotografi che hanno dedicato gran parte della loro carriera ad immortalare i protagonisti di quest'arte.

2.

Un centro di bellezza giapponese ha introdotto uno speciale massaggio fatto dalle zampe di un gatto. Il movimento del felino pare aiuti i clienti a rilassarsi e la grande sorpresa è che c'è, già da tempo, una lunga lista d'attesa.

3.

Forse ti interessa sapere che dopo i 6 anni di corso di laurea in medicina sei a circa metà strada: per entrare nel mercato del lavoro ce ne vogliono ancora almeno altri 3. Se vuoi fare il chirurgo ce ne vogliono 5... Quindi per fare il medico ci vogliono dai 9 agli 11 anni.

4.

Come evitare che i bambini giochino con lo smartphone o accedano ai social media quando non sono sotto il nostro controllo? *Avira*, società esperta di sicurezza informatica ha trovato un'applicazione che permette ai genitori di mettere dei limiti all'utilizzo del cellulare dei figli.

Traccia 9
1.

Vuoi perdere peso ma senza dover seguire una dieta punitiva? Allora inverti l'ordine delle portate del tuo menù: comincia il pranzo o la cena con un bel piatto di verdure crude.

2.

Sai cosa ti succede se il tuo cane fa un danno? O cosa puoi fare se quello del tuo vicino abbaia perché lo lasciano solo tutto il giorno? Per conoscere i diritti degli animali domestici e i doveri di chi li accudisce adesso c'è l'e-book *Dogalize-lex leggi e norme a 4 zampe*.

3.

Una donna di 38 anni ha partorito sul volo intercontinentale della compagnia Lufthansa, partito da Bogotà e diretto a Francoforte. Decisiva è stata la presenza di tre medici tra i turisti a bordo che, insieme alle hostess, hanno aiutato la donna a partorire. Mamma e bimbo stanno bene.

4.

Molti studi scientifici dimostrano che prendersi cura di un animale domestico assicura, a tutte le età, una vita lunga e sana. Cani e anche gatti fanno bene all'umore, ci costringono a stare più in forma e tengono alla larga lo stress e aiutano perfino a dormire meglio.

Traccia 10

1.

Vivere più a lungo e in salute senza spendere un euro in palestra: la ricetta è semplice come andare in bicicletta. Recarsi regolarmente al lavoro su due ruote permette quasi di dimezzare il rischio di ammalarsi di cancro o al cuore, come rivela uno dei più ampi studi compiuti pubblicato sul *British Medical Journal*.

2.

Sono molte le persone che ritengono che i cani, in quanto "migliori amici dell'uomo", meritino il meglio: ma l'ultima trovata di un'azienda inglese sembra veramente un'esagerazione: cucce di lusso, che arrivano a costare anche più di 200.000 euro. E l'idea è stata accolta da molti con entusiasmo.

3.

A San Francisco un'organizzazione no-profit sta convertendo autobus urbani fuori servizio in docce mobili. La città è considerata la "capitale dei senzatetto" negli Stati Uniti, con oltre 6.500 persone senza casa.

4.

Secondo uno studio dell'università di Washington, un bambino bilingue mostra presto maggiore prontezza nel risolvere i problemi e nel concentrare l'attenzione.

Traccia 11

1.

Avete bisogno di un avvocato ma non sapete come trovare un professionista adatto alle vostre esigenze? Potete provare a connettervi al sito *avvocatofacile.it*, un servizio di pubblica utilità che in modo semplice, veloce, gratuito ed al tempo stesso efficace vi offre un avvocato specializzato con cui mettervi in contatto.

2.

In Danimarca ha aperto il primo apprezzatissimo Wefood: supermercato che vende prodotti alimentari e cosmetici vicini alla scadenza o appena scaduti, o il cui aspetto estetico non è di prima scelta, con prezzi ridotti dal 30% al 50%.

3.

Sono circa mezzo milione i turisti che visitano l'Italia in sella a una bicicletta. Il 61% circa è costituito dai turisti stranieri, il restante 39% da turismo interno. Lo affermano i dati diffusi da CosmoBike Show, il salone internazionale della bicicletta la cui seconda edizione si terrà dal 16 al 19 settembre a VeronaFiere.

4.

Loano, per il suo clima e le sue bellezze paesaggistiche è da sempre identificato come un luogo di villeggiatura ideale anche per i soggiorni invernali. La bella cittadina con un bel centro storico e un panoramico lungomare, è un ottimo punto di partenza anche per effettuare escursioni nei dintorni.

Traccia 12

1.

Montecatini, nel cuore della Toscana, è nota nel mondo per le ricche proprietà terapeutiche delle sue acque termali. Il binomio "benessere e salute", con l'accoglienza, lo shopping, il relax e una cornice di arte e paesaggio, sono gli ingredienti di una vacanza stimolante.

2.

A grande richiesta torna il Danubio blu. La crociera fluviale più romantica d'Europa, a bordo della moderna e lussuosa motonave A-Rosa Riva. Un percorso nell'Europa centro-orientale da Salisburgo a Linz passando per Vienna, Budapest e molte altre città. Città e luoghi, lungo il corso del Danubio, ricchi di storia, arte e panorami incantevoli.

3.

Tenerife, l'isola più nota delle Canarie, è considerata una delle mete privilegiate per le vacanze grazie alla sua vegetazione, alle belle spiagge soleggiate e al clima: il sud molto soleggiato è particolarmente indicato per una vacanza balneare anche in inverno, il nord è perfetto per gli amanti della natura e per gli escursionisti.

4.

Recenti studi hanno dimostrato il ruolo molto importante dell'attività fisica per la nostra salute. Questi studi hanno inoltre messo in evidenza come le persone allenate riescono a sopportare il dolore meglio di chi non fa attività fisica.

Traccia 13. Coabitazione fra anziani

Anna e Paola hanno iniziato a bere un caffè insieme, poi una partita a carte, a volte un dolce il pomeriggio. Una coabitazione quella tra le due donne, nata così, quasi per caso. La loro esperienza è solo un esempio di un fenomeno che diventa sempre più comune in tutta Italia. Si chiama in inglese "*Silver Cohousing*", *silver* come il colore argento dei capelli grigi degli anziani, *cohousing* come la possibilità di vivere meglio, condividere la propria casa, le esigenze della vita quotidiana: spesa, bollette, affitto e, non ultima, la voglia di non sentirsi soli. A Milano si vedono anche dei casi di coabitazioni tra diverse generazioni. Dalla collaborazione tra la Provincia di Milano e l'Associazione "Meglio Milano" è nata un'iniziativa che mette insieme anziani soli e studenti in cerca di una sistemazione a costi bassi. Obiettivo: dividere il costo delle bollette e delle spese quotidiane. L'esperimento va avanti da due anni in via Casoretto a Milano. A vivere insieme sono la signora Rosy, 72 anni e Salvatore, 23 anni, studente iscritto al terzo anno di ingegneria presso il Politecnico.

È una convivenza straordinaria, Rosy pensa a tutti i lavori di casa, permettendomi così di concentrarmi solo sullo studio. Niente pulizie, cucina quasi sempre lei, tiene in ordine. Io provo a ricambiare rendendomi utile con le faccende pesanti quando occorre e tenendole compagnia quando ha voglia di chiacchierare.

Stessa soddisfazione per Rosy...

Per me è una sicurezza avere in casa Salvatore. È come aver accolto un figlio. Dialoghiamo, a volte litighiamo, ma la sua compagnia mi aiuta a tenermi sempre attiva e mi alleggerisce anche le spese.

adattato da *Repubblica.it*

Traccia 14. Corsi estivi

I college inglesi di Cambridge e Oxford sono un'eccellenza accademica non solo per l'Inghilterra, ma anche per tutto il mondo. Ricchi di storia e di tradizione, da secoli richiamano i migliori studenti e nelle loro bellissime strutture è possibile vivere un'esperienza culturale unica.

Nei periodi estivi, quando gli studenti universitari non frequentano le lezioni, è possibile accedere a queste strutture per frequentare corsi di inglese con i migliori insegnanti madrelingua, che sfruttano i più moderni strumenti tecnologici per impartire lezioni di inglese agli studenti stranieri.

Oltre a Oxford e Cambridge, anche i college di Londra permettono di frequentare eccellenti corsi estivi in Inghilterra per migliorare l'inglese e vivere una fantastica esperienza di vacanza in questo Paese. Un'esperienza per migliorare il tuo inglese, conoscere persone da ogni parte del mondo e vivere nella città più multiculturale d'Europa. Con il nostro programma potrai seguire il corso più adatto ai tuoi interessi e obiettivi: dai classici corsi in aula, ai programmi full immersion, ai più innovativi Summer camp in cui potrai perfezionare l'inglese dedicandoti al tuo sport o hobby preferito, ai Discovery Tour per scoprire le più famose località del Paese. Durante la permanenza nei college estivi, una delle scelte più amate dagli studenti è la sistemazione nel college stesso, proprio per poter essere a stretto contatto con i nuovi amici e vivere a pieno la vita del college. C'è però anche

la possibilità di conoscere un'altra realtà della vita inglese, quella di una famiglia ospitante, con tutte le possibilità che offre di imparare la lingua parlata nella quotidianità.

Durante i corsi di inglese per i più piccoli, le attività variano dai giochi di squadra alle escursioni che partono dal college verso le zone circostanti, per visitare la tipica campagna inglese o le coste dai panorami mozzafiato del sud dell'Inghilterra.

Scegliere di trascorrere un periodo nei college estivi in Inghilterra ti garantirà sicuramente un'esperienza indimenticabile.

adattato da: *http://www.ef-italia.it/top/college-estivi/*

Traccia 15. Venezia

Venezia è il capoluogo del Veneto. Negli ultimi 50 anni il numero dei suoi abitanti è diminuito di molto, sia a causa degli alti costi degli alloggi, molti dei quali appartengono a stranieri che ci vanno per un paio di settimane all'anno, sia perché è difficile trovare lavoro. Oggi ci sono meno di 50.000 abitanti, nel 1950 gli abitanti di Venezia arrivavano invece a 150.000. Ogni anno circa 2000 abitanti lasciano Venezia per trasferirsi altrove.

Questo fenomeno, chiamato esodo, ha causato un invecchiamento della popolazione; oggi l'età media si aggira intorno ai cinquant'anni. A differenza di altre città italiane in giro non si vedono tanti bambini; scuola e asili sono sempre meno affollati. Le giovani coppie tendono infatti a trasferirsi sulla terraferma, soprattutto nella città di Mestre e dintorni. La costruzione del ponte ferroviario nel 1846 e poi di quello stradale nel 1932 ha rivoluzionato completamente la posizione di Venezia. La città un tempo isolata, raggiungibile solo via acqua, è stata congiunta alla terraferma. L'aeroporto Marco Polo a Tessera, una piccola città a 13 km da Venezia collega la città con il resto del mondo. Chi arriva in automobile deve lasciare la macchina in un parcheggio a pagamento un po' fuori Venezia. A Venezia si può solo entrare a piedi o in barca.

L'economia di Venezia è stata sempre legata alla sua particolare condizione geografica di città lagunare. La pesca e il commercio marittimo sono le attività più tradizionali. Ma la vera ricchezza oggi è rappresentata dal turismo. Ogni anno si contano più di 20 milioni di turisti. Questo settore importantissimo offre possibilità di lavoro al personale di alberghi, uffici turistici, ristoranti, gondolieri e ad altre categorie.

adattato da: P. Zoffoli e P. Scibilia, *Viva Venezia, una guida per esplorare aree divertirsi*, Elzeviro edizioni

Traccia 16. Il villaggio per i giovani

Andiamo in Sicilia, nel villaggio turistico Simenzaru per una vacanza da sogno nell'unico villaggio per giovani d'Italia. Centinaia di ragazzi sempre insieme dall'alba al tramonto per una settimana travolgente: al calar del sole, la musica dei nostri dj sarà protagonista dei beach party che daranno il benvenuto alla notte tra aperitivi colorati e danze a piedi nudi sulla sabbia. Tra le altre attività troviamo: un silent party con i fuochi sull'immensa spiaggia del villaggio, uno schiuma party nel gigantesco anfiteatro e una festa indimenticabile in piscina.

Il villaggio situato sul mare offre:

- pensione completa: si pranza e si cena tutti insieme, quale miglior modo per socializzare?

- una posizione straordinaria: a pochi metri dalla tua camera c'è una bellissima spiaggia di sabbia dorata con acque cristalline.

- lettini, sdraio e ombrelloni che non vengono assegnati di proposito con l'obiettivo di girare tutti i giorni in spiaggia per conoscere gli altri giovani.

- moltissime escursioni: siamo di fronte alle isole Eolie. Lipari, Vulcano, Stromboli e Panarea sono a portata di mano, così come Taormina e Cefalù. Seguendo il nostro programma, sarà possibile vivere appieno le bellezze di questa terra. E dal villaggio potremo raggiungere i locali più belli e le discoteche più rinomate del litorale siciliano.

Ci sono due pacchetti in offerta:

L'offerta Sicilia 1 con 350,00 euro ti offre: viaggio in pullman, 7 notti in pensione completa, 2 serate beach party, tutti i trasferimenti, Assicurazione ed Assistenza 24 ore su 24. Le partenze sono da Napoli e Salerno il 30 Luglio e il 7 agosto alle ore 22.

L'offerta Sicilia 2, al prezzo di 260,00 euro, offre: 7 notti in pensione completa da sabato a sabato, 2 serate beach party, Assicurazione e Assistenza 24 ore su 24.

adattato da: *http://www.viaggiuniversitari.it/estate-sicilia* e *http://aironebianco.clubviaggi.it*

Traccia 17. Intervista a uno studente Erasmus

Ecco un'intervista a Luis, un ragazzo spagnolo, che studia ingegneria aeronautica all'Università di Valencia e che ci parla del suo semestre a Milano.
Hai trovato difficile preparare il tuo viaggio Erasmus?
Sì, normalmente, o almeno a Valencia i servizi di "relazioni internazionali" sono abbastanza lenti. Ho dovuto cercare tutto via internet, ed è stato un po' difficile per me trovare un alloggio e organizzare tutta la mia partenza da solo.
Perché sei voluto venire in Erasmus in Italia?
Per imparare la lingua soprattutto (l'italiano soprattutto, ma dopo qualche mese qui ho anche imparato il francese con la mia coinquilina francese!) e fare degli incontri, per conoscere degli amici da tutta l'Europa.
Ti piace la città?
Sì, ma c'è bisogno di un periodo d'adattamento se non sei abituato a vivere in una città così grande come Milano. Ho vissuto a Maiorca e Valencia, quindi per me Milano è abbastanza grande!
Hai avuto dei problemi con la lingua?
Non tanto, perché ho preso qualche lezione prima di partire, e comunque l'italiano e lo spagnolo si assomigliano molto, quindi per noi spagnoli è abbastanza facile capire e farsi capire, e impariamo la lingua facilmente.
Hai cambiato le tue abitudini venendo a Milano, come per esempio orari uscite, ecc.?
Assolutamente sì! Qui si deve fare tutto più presto… E questo è davvero un gran problema per gli spagnoli, perché facciamo tutto all'ultimo momento e tutto piano piano anche quando abbiamo 2 ore di ritardo. Ho dovuto imparare a essere un po' più rapido e sempre puntuale quando uscivo con gli italiani. Spesso loro arrivano agli appuntamenti anche con qualche minuto di anticipo.
Preferisci la tua università in Spagna o quella di Milano? Perché?
Quella spagnola. Il politecnico di Milano è stata un'esperienza difficile: sono molto esigenti, è difficile passare un esame. L'amministrazione non è ben organizzata e non è sempre facile accedere ai laboratori, alle nuove tecnologie e all'uso dei servizi vari. È stata una sfida per me!
Che cosa ti ha portato questa esperienza Erasmus a livello personale o professionale?
Prima di tutto le lingue che ho imparato e l'esperienza di condividere delle cose, abitare con persone con una cultura assolutamente diversa dalla mia. Bisogna adattarsi e sopportare tutto questo! È una sfida ma è un'esperienza importantissima.

adattato da *http://erasmus-erasmus.blogspot.com*

Traccia 18. Sport e studio

Mi chiamo Denise, ho 22 anni e ho due grandi passioni: lo studio e lo sport. Avevo nove anni quando ho scoperto l'atletica leggera. Un vero e proprio colpo di fulmine: all'inizio per me era un semplice gioco, ma dopo è diventata l'occasione per costruire un percorso sportivo di buon livello con il salto triplo. A 19 anni, con l'iscrizione alla Facoltà di Giurisprudenza sono entrata in contatto con la Legge.
Molte volte sento dei ragazzi dire: "Non posso continuare questo sport, devo studiare!". Niente di più sbagliato. Ma davvero non è possibile praticare sport ad alto livello e riuscire, contemporaneamente, a studiare? Davvero non si possono raggiungere dei risultati sia all'Università che nello sport?
Conciliare, al meglio, entrambe le attività è possibile e vorrei portare il mio esempio per chi non lo crede possibile. Frequento il quarto anno di Giurisprudenza con ottimi risultati e, nello sport, riesco ugualmente ad essere costantemente tra le prime 15 atlete assolute in Italia.
Ai miei compagni di Università dico che la ricetta è basata su buona volontà e, soprattutto, organizzazione. Personalmente sono riuscita a trovare il mio equilibrio dedicando almeno otto ore della giornata allo studio e due

agli allenamenti. Certo, non mancano i sacrifici ed è fondamentale la determinazione che mi accompagna a vivere nel migliore dei modi le mie passioni. L'Università italiana, è vero, spesso non ti aiuta a praticare uno sport. Dovremmo prendere esempio, a mio avviso, dall'Università americana, l'ideale per uno sportivo. Tornando all'atletica leggera, c'è una grande tradizione di Dottori-Atleti, personaggi capaci di segnare la storia. Grandi sportivi, non solo di livello nazionale ma anche internazionale, riescono a portare avanti due impegni così grandi. Una regola è alla base di tutto. Non basta avere grandi doti fisiche per migliorare nell'atletica, servono anche buone doti mentali.

adattato da *https://unige.it/newsletter_uff/articoli/n26_art1.shtml*

Traccia 19. Il cane Galeone

Quando ero giovane avevo un'amica pittrice che si chiamava Dina. Con lei facevo delle lunghe gite in montagna. Dina aveva un cane bassotto, grassottello e pigro che si chiamava Galeone, un nome forse un po' troppo lungo per un cane così piccolo e basso ma a Dina piaceva così.

La mia amica Dina dipingeva grandi quadri con dei paesaggi misteriosi e mentre lavorava il suo cane Galeone stava accucciato ai suoi piedi. Mentre dipingeva qualche volta un po' di colore cadeva sul pelo del cane e allora lui cominciava a muoversi e ad abbaiare contro la sua padrona che non era stata abbastanza attenta. Era un cane molto pulito ma anche molto strano, un cane sospettoso e brontolone. Quando Dina partiva per andare a Milano lo lasciava solo in casa con molto cibo e acqua ma lui non mangiava niente finché lei non tornava, e quando il fidanzato di Dina apriva la porta per portarlo fuori gli abbaiava sempre perché preferiva starsene tutto il giorno da solo davanti alla finestra ad aspettare Dina. Quando lei tornava Galeone non la salutava nemmeno e rimaneva in disparte, come offeso. Lei allora gli diceva: "ma tu Galeone non hai mangiato niente potresti morire di fame" e lui la guardava come a dire "vedi mi lasci morire di fame, sei una cattiva padrona".

Quando andavano in montagna Dina si portava Galeone dentro lo zaino e lui se ne stava buono tranquillo. Appena arrivavano, lei lo faceva uscire sopra un prato e gli diceva "vai Galeone c'è il sole, siamo all'aperto, corri…". Ma a dire la verità Galeone non era poi così contento, lui preferiva starsene a casa, nello studio di città, non amava le avventure.

adattato da D. Maraini, *Storie di cani per bambini*, Bompiani, 1996

Traccia 20. Intervista a Luca

Luca ha 23 anni. Dopo il diploma ha deciso di trasferirsi a Londra per studiare in una scuola di business.
Quando hai deciso di lasciare l'Italia?
Fin da quando avevo 15 anni ho iniziato a viaggiare con la scuola e per mia personale passione. Appena dopo il diploma in Comunicazione e Marketing, ho preso la decisione di andare via da un'Italia che, secondo me, offriva sempre meno a noi giovani. E così ho fatto. Ho prenotato un volo e mi sono iscritto ad una scuola di business a Londra, dove ora sto finendo gli studi per conseguire un Master in Business English.
Hai avuto esperienze lavorative appena arrivato a Londra?
Dopo un mese nella capitale inglese ho trovato un lavoretto in un ristorante italiano vicino a dove abitavo, nella zona 3 di Londra. Ho fatto esperienza con l'inglese e soprattutto con la popolazione inglese. Questo mi ha dato modo di capire la loro mentalità. Dopo tre mesi di permanenza ho trovato un annuncio nello stesso istituto dove studiavo. Offrivano un lavoro part-time come supervisore dei laboratori informatici. Dopo un breve colloquio ho ottenuto quel lavoro e prendevo 7 sterline all'ora. Non era di certo il lavoro della mia vita ma come studente era più di quanto si possa sperare.
Come si è evoluto il tuo lavoro?
Non ci ho messo molto ad avere la fiducia della direzione e dello staff, così, dopo 6 mesi di impegno, duro lavoro e dedizione, ho ottenuto la posizione di supervisore del residence degli studenti. Ora a 23 anni studio per ottenere un master, ho fatto varie certificazioni, e ho un lavoro più che decoroso con un contratto full-time per l'estate. Inoltre, come supervisore, ho diritto a un appartamento nel centro di Londra, nel residence dove gli studenti del college vivono, gratuito e a contratto indeterminato.

Come riassumeresti la tua esperienza all'estero?
Direi che uscire dall'Italia è stata l'esperienza che più mi ha fatto crescere e capire quanto è facile ottenere qualcosa se ti impegni, cosa che in Italia devo dire invece è molto difficile.

adattato da www.studenti.it

Traccia 21. La storia di Kana

Tutti i giorni Kana, con la neve o con il sole, aspetta che il treno passi per la stazione di Kami-Shirataki, nell'isola di Hokkaido, a Nord del Giappone, per andare a scuola. La sua foto, mentre legge da sola un libro alla stazione, ha fatto il giro del mondo perché Kana, la protagonista della vicenda, è diventata il simbolo di una vera e propria favola. Il motivo? Quella stessa stazione, che le ferrovie del Giappone avevano deciso di chiudere tre anni fa, rimarrà aperta solo per lei fino a quando non avrà terminato gli studi.
Kana è l'unica passeggera che prende tutte le mattine l'unico treno che passa di lì per andare a scuola e che tutte le sere sale sull'ultimo e unico treno per tornare a casa. Senza questo viaggio, la ragazza non avrebbe potuto continuare gli studi.
In questa parte del Giappone, negli ultimi anni sono state chiuse ben 20 linee ferroviarie. La popolazione di queste aree del Nord, per la maggior parte contadini, sta diminuendo più rapidamente rispetto al resto del Paese, anche le opportunità di lavoro stanno sempre più diminuendo e quindi sempre meno gente viaggia in treno.
La decisione, dunque, tiene conto delle esigenze della viaggiatrice solitaria, che così potrà realizzare, dopo tanta fatica, il sogno di diplomarsi. Orgoglio e soddisfazione dei cittadini del Paese orientale: «Questo significa governare bene e a tutti i livelli», si legge nei commenti su Twitter, o ancora «Uno stato come questo, pronto a fare di tutto per soddisfare le nostre esigenze, è solo da ammirare».

adattato da http://www.ilmessaggero.it/primopiano/esteri/

Traccia 22. In cucina con i figli

I bambini si divertono a imitare tutto quello che fanno mamma e papà. E uno dei giochi che amano di più è quello di preparare da mangiare. Quindi una buona idea per passare il tempo con i bambini è stare con loro in cucina e realizzare insieme ricette divertenti e sfiziose, e possibilmente anche sane. Questo diventa anche un modo per educarli al mangiar sano. Infatti è importante che i bambini fin da piccoli siano educati a buone abitudini alimentari: il cibo deve essere il più possibile vario, ricco di frutta e verdura di stagione, con pochi grassi e soprattutto con il minore uso possibile di piatti pronti e cibi confezionati.
Ecco quindi una selezione di ricette tratte dalla "Rivista per bambini" che possono essere facilmente realizzate insieme ai piccoli. Ci sono quelle divertenti che però aiutano a far mangiare le verdure, come le trottole di verdure, i topolini agli spinaci o il pinzimonio; le merende a base di frutta, come il crumble di kiwi, la candela di frutta, i sorbetti; ma anche le ricette per le grandi occasioni come il Natale, Halloween o carnevale; importante è anche far conoscere ai nostri bimbi gusti nuovi, magari provando a sperimentare ricette di altri Paesi come il Baklavà, dolce mediorientale, il taboulè di melone e gamberetti, la tortilla di patate e altri.
Una ricetta semplice sono le lasagne. Gli ingredienti sono broccoli, 500 gr di ricotta, parmigiano, olio, passata di pomodoro. Fate bollire i broccoli in acqua leggermente salata per una decina di minuti. E nel frattempo mettete a bollire la pasta per lasagne, per meno di 2 minuti. Unite i broccoli bolliti alla ricotta e mescolate bene fino a ottenere una bella crema. Mettete uno strato di lasagne con sopra la crema di broccoli e ricotta, poi due cucchiai di passata di pomodoro e un cucchiaio di olio. Dovete preparare 4 strati di lasagne. Sopra l'ultima lasagna stendete anche il parmigiano. A questo punto infornate a 180°C per circa 30 minuti.
Buon appetito!

adattato da http://www.nostrofiglio.it

Traccia 23. Animali abbandonati

Ogni anno vengono lasciati in strada dai loro padroni circa 50.000 cani e 80.000 gatti, quasi tutti in estate. Ma

chi abbandona un animale domestico rischia un anno di carcere e una multa da 1000 a 10.000 euro. Per questo il compito di ciascuno di noi sarebbe quello di segnalare immediatamente se vediamo qualche animale abbandonato, anche se non è sempre facile, perché non tutti i comuni sono attrezzati per ricevere queste denunce. Ecco cosa dobbiamo fare se troviamo un cane o un gatto abbandonato per la strada.

Un cane abbandonato da poco ha un atteggiamento diverso dal cane randagio. Non tiene la testa bassa, ma il muso e le orecchie rivolte verso l'alto e le orecchie tese, alla ricerca della traccia del suo padrone. In questo caso bisogna chiamare i vigili urbani del Comune che poi contattano l'associazione animali che effettua la verifica sul microchip per trovare il padrone oppure lo portano al rifugio animali del Comune. Chi ha trovato l'animale, però, deve aspettare l'arrivo dell'associazione animali altrimenti l'animale potrebbe scappare.

Se l'animale è ferito, invece, bisogna aspettare il servizio veterinario dell'ASL (Azienda Sanitaria Locale) che dovrebbe raccogliere e curare l'animale.

Se invece ci capitasse di investire con l'auto un animale, allora dobbiamo soccorrerlo e chiamare la polizia stradale oppure il 112 o il 113. Subito dopo dobbiamo cercare un veterinario.

adattato da *http://www.donnamoderna.com/*

Traccia 24. App e vacanze

Per molti turisti la tecnologia non va mai in ferie. Molte delle cose che facciamo nelle prime 24 ore dal nostro arrivo a destinazione toccano lo smartphone: il 22% inizia a scattare foto per i social network, il 16% legge le recensioni dei ristoranti della zona, il 7% controlla la posta elettronica. Tutto, naturalmente, tramite app ben conosciute, da *Instagram* a *TripAdvisor*. Ma l'inseparabile smartphone vi salva in ogni fase della vacanza: prima, durante le vacanze e dopo.

Segnaliamo qui alcune app meno conosciute ma che possono essere di estremo aiuto.

Chi pianifica un viaggio fa in media 38 ricerche. L'app italiana Wanderio vi farà risparmiare tempo confrontando prezzi, voli, treni, bus a lunga percorrenza e collegamenti ad aeroporti e stazioni.

PackPoint è un'app che fa le valigie al posto tuo. Ti consiglia infatti cosa mettere nel tuo bagaglio secondo la destinazione del tuo viaggio, durata, meteo e attività in vacanza. Ti consiglia cosa puoi mettere più di una volta. Ricorda anche i visti e le vaccinazioni da fare.

Dei 33 milioni circa di turisti in vacanza il 70% prende l'aereo. In caso di ritardi, overbooking o cancellazioni c'è AirHelp. Basta inserire il numero del volo e la descrizione del ritardo per avviare la pratica di rimborso che può toccare i 600 euro.

Bagbnb invece ti permette di trovare il deposito bagagli più vicino. Basta inserire alcune informazioni per trovare i locali pubblici dove è possibile lasciare la valigia per 5 euro.

adattato da *http://www.donnamoderna.com/*

Traccia 25

1.

Signora, buonasera, sono Mancini dalla libreria Bookstore. Volevo informarla che purtroppo il libro che ci aveva ordinato è esaurito. Può passare in libreria a riprendere i soldi che ci aveva inviato o se preferisce un buono per altri acquisti, come desidera. Le ricordo che siamo chiusi il lunedì mattina. Buona serata.

2.

Buongiorno, è il Comandante che vi parla. Benvenuti a bordo. Il nostro viaggio durerà cira un'ora e tre quarti. Il tempo è buono e non sono previste perturbazioni. Vi auguro un buon viaggio.

3.

I vostri panni lavati non hanno un buon odore? Colpa della lavatrice. Ecco un rimedio: fare un lavaggio a vuoto, senza panni, mettendo nella vaschetta aceto, un cucchiaio di bicarbonato di soda e dieci gocce di olio di essenza di lavanda. I vostri panni, dopo il lavaggio, avranno un buon profumo di pulito!

4.

Computer, smartphone, allergie, luci, gli occhi oggi sono sottoposti a molte situazioni che li stressano provocando arrossamento e bruciore. Per questo c'è Isomar. Protegge gli occhi dallo stress oculare.

Traccia 26

5.

Dopo un'accurata ristrutturazione siamo pronti a riaprire. La nuova struttura, che ha camere più confortevoli e una piscina esterna riscaldata, è circondata dal bosco e da un bel laghetto. Prenota il tuo soggiorno entro l'8 luglio e avrai uno sconto del 20% sulle prime tre notti.

6.

Si tiene a Milano il 5 e il 6 novembre la prima edizione del Walking Day, una camminata aperta a tutti, con partenza dall'Arena Civica. La manifestazione sportiva nasce per promuovere il Walking, una pratica che unisce l'idea del camminare con uno stile di vita e di mobilità sana.

7.

Il teatro Olimpico, Piazza dei Signori e la Basilica Palladiana sono alcuni dei tesori cittadini, ma ora c'è un motivo in più per visitare Vicenza. Ogni prima domenica del mese si entra gratis al museo naturalistico archeologico e a Palazzo Chiericati, con gli affreschi del Cinquecento. E il Comune propone tour a tema: dal cibo all'artigianato.

8.

In Val Gardena, un escursionista ha trovato su un sentiero una borsa da donna. Nella borsa, oltre ai documenti della proprietaria, c'erano anche duemila euro in contanti. Invece di tenerli, magari per prolungare la sua vacanza, ha consegnato il tutto ai carabinieri di Ortisei. Quando l'ha saputo la donna si è commossa e ha ringraziato l'onesto escursionista.

Traccia 27. Un italiano in Australia

Ciao Fabrizio, raccontaci un po' di te...

Allora, ecco, io sono andato via da Roma, la città in cui sono nato e cresciuto, e ora vivo a Melbourne da più di 3 anni e sento di aver fatto la scelta migliore per il mio futuro. Ma non è stato affatto semplice.

So che in Italia eri un giornalista, perché hai deciso di cambiare settore?

Sì, è vero. Fin da piccolo sognavo di fare il giornalista, per questo ho scelto di studiare marketing e comunicazione all'università. Mi sono laureato col massimo dei voti e ho trascorso diversi anni della mia vita a lavorare nel settore della comunicazione ma poi ho capito che non era possibile per me fare carriera nel mondo del giornalismo, così ho abbandonato tutto. Ho avuto dei momenti difficili ma ho avuto il coraggio di ricominciare da zero e ho imparato il mestiere di pizzaiolo e così sono andato a lavorare in una pizzeria in Australia. Sono stato fortunato. Ora ho un buon lavoro, mi occupo di marketing e comunicazione per un'agenzia che fornisce consulenza gratuita e assistenza nella scelta di corsi scolastici per chi vuole vivere un'esperienza lavorativa o intraprendere un percorso d'istruzione in Australia.

Quali sono gli aspetti positivi e negativi di vivere in Australia?

Gli aspetti positivi riguardano sicuramente lo stile di vita. In Australia chiunque può avere un tenore di vita dignitoso. Anche se il costo della vita è in media più caro che in Italia, gli stipendi sono però più alti. Il lato negativo è sicuramente la difficoltà linguistica che chi non parla bene l'inglese può incontrare.

Cosa ti manca dell'Italia?

Non molto, a dire il vero. Non sono un nostalgico. Qui secondo me si vive meglio. L'unica mancanza vera sono gli affetti. Qui è difficile costruire dei rapporti duraturi dato che molti sono qui solo di passaggio.

adattato da *http://italianiemigrati.com*

Traccia 28. Vacanze e amici

Una vacanza con gli amici è sempre una buona occasione per divertirsi insieme. Tuttavia non è sempre semplice decidere la meta del viaggio, perché ci saranno all'interno del gruppo preferenze e gusti differenti. Ecco dunque alcuni consigli per una vacanza con gli amici.

New York è una meta perfetta per stare con gli amici! Divertimento a McDougal Street con locali di musica dal vivo, ristoranti etnici a St. Mark's Place, musical a Broadway, serate chic e... insomma c'è di tutto! Sarà indimenticabile. Preparatevi però perché New York non è una città economica specialmente per gli alloggi.

Se amate le immersioni e lo snorkeling nel mare cristallino, potreste invece optare per *Sharm El Sheik*, in Egitto. Questa splendida località non molto lontana dall'Italia, vi offre un'ampia scelta di resort di lusso in cui alloggiare. La sera potrete recarvi in una delle belle discoteche di Naama Bay o casinò esclusivi.

Se volete abbinare al mare e al divertimento anche la possibilità di studiare l'inglese, la meta ideale è *Malta*. Quest'isola è ricca di attrazioni per i turisti come la Valletta, la sua bella capitale, e vi offre anche la possibilità di fare suggestive escursioni in barca per visitare le altre isolette dell'arcipelago maltese.

Se invece voi preferite le capitali europee, potete partire per *Londra*. La capitale inglese è davvero il luogo ideale per divertirsi, fare shopping e migliorare il proprio inglese. Ricordiamo che Londra è anche la capitale del divertimento. Inoltre molti musei hanno entrata libera.

Una meta ambita è poi la *Grecia* e le sue isole. La Grecia è sempre una certezza, sia per il mare cristallino sia per la bellezza dei paesaggi naturali, e per questo i turisti non mancano. Qui vi aspettano divertimento, relax e buona cucina. Ricordatevi che la Grecia è ancora molto conveniente, trovate taverne e alloggio a buon prezzo.

adattato da *http://ideeviaggi.zingarate.com*

Fonti delle foto

pag.6: www.worldpropertyjournal.com (in alto), http://alessandria.bookrepublic.it (in basso); **pag.7**: www.shutterstock.com (in alto), www.hotelmiramontiabetone.it (in centro), http://donnevere.donnamoderna.com (in basso); **pag.8**: http://sancaweb.fr (a sinistra), www.adventure4you.com (in centro), www.ridersadvisor.com (a destra); **pag.9**: www.beautyblog.it; **pag.10**: www.viaggiarenews.com (in alto), www.engage.it (in basso); **pag.11**: www.acquabelladayspa.com (in alto), https://images-na.ssl-images-amazon.com (in basso); **pag.12**: www.termedellaversilia.com (a sinistra), www.scaricafree.com (in centro), www.trentino.com (a destra), www.cicladi.it (in basso); **pag.13**: https://i0.wp.com/ www.stratospace.it (in basso); **pag.14**: www.adria.net (a sinistra), http://stophavingaboringlife.com (in centro), www.riminiweb.net (a destra); **pag.15**: www.inpullman.it; **pag.16**: www.wallpaperswala.com (in alto), httpimages.vanityfair.it (in basso); **pag.17**: http://media.toysblog.it; **pag.18**: www.insegnantidiballo.it; **pag.19**: https://static.iphoneitalia.com; **pag.20**: www.maderural.com; **pag.21**: www.msccrociere.it (in alto), www.nasamnatam.com (in basso); **pag.22**: http://donnevere.donnamoderna.com (a sinistra), www.ilgiornale.it (in centro), https://surftech.it (a destra), http2.bp. blogspot.com (in basso); **pag.24**: http://imagestc.trovacasa.net (a sinistra), https://casa.tuttomercato.it (in centro), www.case-appartamenti.eu (a destra); **pag.25**: www.shutterstok.com, http://operatoricellulari.com, www.mobileworld.it (in alto), https://pbs.twimg.com (in basso); **pag.26**: www.verbaniamilleventi.org (in alto), www.shutterstock.com (in basso); **pag.27**: www.medicinachirurgia.unipd.it; **pag.28**: www.song4life.it (in centro), www.legambiente.emiliaromagna.it (in basso); **pag.29**: www.groupon.it (a sinistra), www.altroconsumo.it (in centro), www.amazon.it (a destra); **pag.30**: http://impactdailydeal.com; **pag.31**: www.centostorie.it; **pag.32**: http://benessere.unita.it; **pag.33**: www.shutterstock.com; **pag.35**: www.carpediemstore.it; **pag.36**: www.viaggiamo.it; **pag.37**: www.waterwisesystems.co.za/; **pag.38**: https://upload.wikimedia.org; **pag.39**: www.meteoweb.eu; **pag.42**: https://thumb7.shutterstock.com; **pag.43**: http://video-magazine.it; **pag.45**: www.gattopoli.it; **pag.46**: https://thumb9.shutterstock.com; **pag.47**: www.teleambiente.it; **pag.48**: www.shutterstock.com; **pag.66**: www.shutterstock.com; **pag.67**:www.shutterstock.com; **pag.68**: www.shutterstock.com; **pag.69**: www.shutterstock.com; **pag.70**: www.assodigitale.it; **pag.71**: www.shutterstock.com; **pag.72**: www.patrasevents.gr; **pag.73**: http://ukinternationalnannies.com; **pag.74**: www.fashionbeans.com; **pag.75**: www.shutterstock.com; **pag.76**: www.shutterstock.com; **pag.77**: www.negozistoricilombardia.it; **pag.78**: www.ravennashopping.it; **pag.79**: http://static.uniline-cdn.eu; **pag.80**: www. shutterstock.com; **pag.82**: www.guardian.ng; **pag.83**: www.shutterstock.com; **pag.84**: http://fscomps.fotosearch.com; **pag.85**: http://aycnp.org/; **pag.110**: www.shutterstock.com (in alto), http://thumbs.xdesktopwallpapers.com (in basso); **pag.111**: https://pictures.topspeed.com; **pag.112**: https://webimg.secondhandapp.com; **pag.113**: www.booking.com; **pag.114**: https://pdtechu.sqooltechs.com; **pag.115**: www.music-art.net; **pag.116**: www.turismo.it (in centro), www.shutterstock.com (in basso); **pag.117**: www.piemonteexpo.it; **pag.118**: www.shutterstock.com (in alto), archivio edilingua (in basso); **pag.119**: http://cartype.com (in alto), www.shutterstock.com (in basso); **pag.120**: https://media.cntraveler.com; **pag.121**: www.myveniceapartment.com (venezia), www.wikimedia.org (roma colosseo), www.wikipedia.org (pisa), www.flickr.com (cinque terre), www.alux.com (roma musei vaticani); **pag.150**: https://upload.wikimedia.org; **pag.151**: archivio edilingua; **pag.152**: http://www.01distribution.it (a sinistra), https://aforismi.meglio.it (in centro), https://www.silenzioinsala.com (a destra); **pag.153**: https://img2.juzaphoto.com; **pag.155**: https://thumb1.shutterstock.com

Preparazione al Celi 2

Preparazione al
CELI 2

INDICE

Parte A
Comprensione della Lettura

EDILINGUA

Parte B
Produzione di Testi Scritti

Parte C
Comprensione dell'Ascolto

Preparazione al CELI 2

EDILINGUA

Collana *Primiracconti*, letture semplificate per stranieri
Il manoscritto di Giotto (A2-B1)

Il furto di un'opera di inestimabile valore, un trattato sulla pittura che rivela anche un segreto legato al grande artista Giotto, scuote la vita dei giovani protagonisti della storia. Il colpevole è uno di loro?

• Domande di prelettura
• Originali e simpatici disegni a corredo dei testi
• Note a piè di pagina
• Attività per lo sviluppo di varie competenze
• Doppia versione con o senza CD audio
• Chiavi in appendice

ISBN Libro 978-960-693-017-1
ISBN Libro + CD 978-960-693-014-0

Attività per lo sviluppo dell'abilità di scrittura
Scriviamo insieme! 1 (A1-A2)
Lo scopo del libro è affiancare lo studente durante il processo di scrittura, da quella guidata a quella libera, incoraggiandolo a sviluppare le proprie idee con originalità, chiarezza e stile. Ogni unità è composta da: attività di comprensione; esercitazioni finalizzate alla correttezza lessicale e morfosintattica; attività per sviluppare la capacità di reperire, formulare e organizzare le idee in un testo scritto coerente e coeso; composizioni scritte guidate e libere.

ISBN 978-88-98433-12-4

Attività + giochi + dizionario multilingue
Via dei Verbi 1 (A1-B1) si compone di quattro parti:
• Il dizionario pratico multilingue, una guida all'uso dei verbi di maggior frequenza.
• Una vasta gamma di esercizi e giochi grammaticali organizzati secondo i livelli linguistici.
• Un'altra batteria di esercizi suddivisi anche per lettera.
• Specchietti grammaticali riassuntivi di facile consultazione.

Il volume può essere affiancato dagli insegnanti al testo utilizzato nel corso di lingua straniera e può essere usato dallo studente, grazie alle chiavi in appendice, in autoapprendimento.

ISBN 978-88-98433-30-8

ISBN 978-960-693-047-8

Via della Grammatica (A1-B2)

presenta 40 unità e 8 test di revisione e autovalutazione
Ciascuna unità, utilizzando un linguaggio semplice e numerosi esempi, affronta uno o più argomenti grammaticali seguiti da stimolanti attività. Il lessico è introdotto gradualmente e testi autentici, su diversi aspetti culturali, letterari e della vita quotidiana, offrono agli studenti la possibilità di arricchire e approfondire le loro conoscenze sull'Italia. Il volume è fornito di chiavi, utili anche in un percorso di autoapprendimento

ISBN 978-960-7706-28-7

La Prova Orale 1

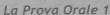

Si rivolge a tutti gli studenti che si preparano ad affrontare la prova orale delle varie certificazioni di lingua italiana. La conversazione trae continuamente spunto da nuovo materiale, varie attività comunicative e domande che motivano gli studenti mantenendo vivo in loro interesse. Un glossario li aiuta a prepararsi per la discussione. Il libro è stato studiato in modo da poter esser inserito in curricoli didattici diversi.

ISBN 978-960-7706-43-0

Ascolto medio

Attraverso un apprendimento piacevole e stimolante, consente allo studente di migliorare la propria abilità di ascolto e di prepararsi alla prova di comprensione orale degli esami di certificazione.
Il *Libro dello studente*, con CD audio allegato, contiene 24 testi, di cui 16 brani autentici, accuratamente selezionati da programmi televisivi e radiofonici (interviste, fatti di cronaca, conversazioni telefoniche, ricette, servizi sulla cultura ecc.). Lo studente ha così la possibilità di entrare in contatto non solo con la lingua viva, ma anche con la realtà italiana. Tutti i testi sono corredati da esercitazioni a scelta multipla, completamento, vero/falso.